BOURBONNE

ET

SES EAUX MINÉRALES

Topographie. — Histoire. — Propriété des eaux.
Hygiène des malades. — Indications et conduite du traitement.
Promenades. — Renseignements.

PAR LE DOCTEUR

Auguste CAUSARD

MÉDECIN CONSULTANT A BOURDONNE-LES-BAINS

médecin de l'hôpital civil,
membre correspondant de la Société d'hydrologie de Paris
et de la
Société historique et archéologique de Langres,
ex-médecin civil requis à l'hôpital militaire pendant la saison thermale
(1863-1874),
médecin du détachement d'infirmiers et des militaires de passage.

QUATRIÈME ÉDITION

PARIS

LIBRAIRIE J.-B. BAILLIÈRE & FILS, ÉDITEURS
19, rue Hautefeuille, 19
BOURBONNE
CHEZ TOUS LES LIBRAIRES

1891

BOURBONNE

ET

SES EAUX MINÉRALES

OUVRAGES DU MEME AUTEUR

Essai sur la paralysie, suite de contusion des nerfs. Thèse inaugurale. Paris, 1861.

Cure thermale à l'hôpital militaire de Bourbonne. Strasbourg, 1864.

De l'électricité employée concurremment avec les eaux de Bourbonne. Strasbourg, 1866.
Ces deux dernières publications ont paru dans la *Revue d'hydrologie*, avant d'être réunies en brochures.

Bourbonne et ses eaux minérales. 1re édition. Paris, 1870. — 2e édition, 1878. — 3e édition, 1884.

Projet d'établissement d'un Comice agricole à Bourbonne. Chaumont, 1872.

Travaux et Concours du Comice agricole de Bourbonne, par le Dr CAUSARD, président du Comice. Chaumont, 1874.

Contes et Légendes du Bassigny-Champenois. (Dr Gustave SARCAUD). Paris, 1880.

Rapport de la Commission du Conseil municipal chargée de demander la mise en ferme de l'Etablissement thermal (impression votée par le Conseil municipal). 1884.

Bourbonne, son avenir. Nancy, 1887.

CHAUMONT. — TYPOGRAPHIE ET LITHOGRAPHIE CAVANIOL.

BOURBONNE

ET

SES EAUX MINÉRALES

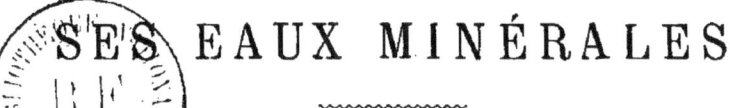

Topographie. — Histoire. — Propriété des eaux.
Hygiène des malades. — Indications et conduite du traitement.
Promenades. — Renseignements.

PAR LE DOCTEUR

Auguste CAUSARD

MÉDECIN CONSULTANT A BOURBONNE-LES-BAINS

médecin de l'hôpital civil,
membre correspondant de la Société d'hydrologie de Paris
et de la
Société historique et archéologique de Langres,
ex-médecin civil requis à l'hôpital militaire pendant la saison thermale
(1863-1874),
médecin du détachement d'infirmiers et des militaires de passage.

QUATRIÈME ÉDITION

PARIS

LIBRAIRIE J.-B. BAILLIÈRE & FILS, ÉDITEURS
19, rue Hautefeuille, 19
BOURBONNE
CHEZ TOUS LES LIBRAIRES
—

1891

CARTE des environs de BOURBONNE

Bourmont

Nijon

La Mothe

Brainville

Bulgneville

Vittel

Goffigny

Chaumont la Ville

Contrexéville

Hacourt

Illoncourt

Germainvilliers

Blevaincourt

Clefmont

Breuvannes

Daillecourt

Damblain

Rozières

Martigny

Bassoncourt

Colombey

Tollaincourt

Noyers

Lenizeul

Château-Merrey

Etang

Lamarche

Fresnes

Morizécourt

Aureille-Maison

Ravennefontaine

Larivière

Meulain

Aigremont

Mont

Ischez

Parnot

Armoncourt

Serquenx

Junvelle

Meuse

Beauchemin

Montigny

Dammortier

Fouilly

Frain-Magnard

Enfonvelle

Plaés-Gisbulhier

Chatillon

Coulters

Dampierre

Beauregard

Bourbonne

Fresnes

Rançonnières

Laneuvelle

Villars

Amance

Vicq

Coiffy-le-Bas

Genrupt

Lavernoy

Coiffy-le-Haut

Montcharvot

Melay

Varennes

Voisey

Andilly

Neuvelle

Hortes

Guyonvelle

Velles

LANGRES

Laferté

Amance

Chalindrey

Charmoy

Gare de Vitrey

Jussey

Vitrey

Fays-Billot

Lith. Cavaniol

AVANT-PROPOS

Les malades atteints d'affections graves et durables, constitutionnelles, organiques, fonctionnelles, sont habituellement confiés en dernière heure, par les médecins traitants découragés, aux ressources des deux grandes médications par excellence : l'*Hygiène* et les *Eaux minérales.*

L'exercice physique sans fatigue, le calme de l'esprit, la sérénité de la vie, les distractions de bon aloi, le charme de compagnons aimables, d'un pays favorisé de la nature, sont des facteurs précieux dans une cure thermale.

Avec ses Eaux de première valeur, Bourbonne a toujours offert à sa clientèle ce que je viens de dire ; mais je dois ajouter que notre

1

station s'est transformée par la cession de l'Etat à une Compagnie fermière qui fait le possible pour attirer et fixer les baigneurs en leur donnant les plaisirs que l'on trouve à Bade, Vichy, Aix, etc.

A Bourbonne aujourd'hui on se guérit en s'amusant, ce qui est bien ; mais ce qui est mieux, c'est que, plus connues, elles s'adressent à des maladies étudiées à fond, le *Diabète*, par exemple, qui trouve ici le traitement le plus rationnel.

La troisième édition de *Bourbonne et ses Eaux* est épuisée depuis un an ; c'est pour dire nos progrès que je me décide à offrir au public le quatrième mille de ce petit livre.

Bourbonne, 1er mai 1891.

A. C.

CONSIDÉRATIONS GÉNÉRALES
SUR LES EAUX MINÉRALES

———›‹———

DÉFINITION ET DIVISION
DES EAUX MINÉRALES

Les malades font le plus souvent usage des eaux minérales à tort et à travers, sans savoir pourquoi ils se trouvent plutôt à Bourbonne qu'à Barèges, à Dieppe qu'à Vichy. Les stations où ils se rendent sont cependant fort intéressantes à étudier, et bien certainement la cure serait mieux assurée, si celui qui doit en profiter pouvait apprécier les raisons qui ont déterminé le choix de son médecin pour telles ou telles eaux, et ce qu'il peut espérer de leur application.

DÉFINITION. — On donne le nom d'eaux minérales à des eaux qui, grâce à leur température ou à leur composition, sont ou peuvent être employées à l'amélioration ou à la guérison de maladies déterminées.

DIVISION. — Il est très difficile de faire une bonne

classification des eaux minérales. En effet, plusieurs stations possèdent des sources de diverses natures, d'autres des principes minéralisateurs complexes, pouvant rentrer dans des groupes différents.

Il faut tenir compte, pour aboutir à une division satisfaisante des eaux minérales, de la prédominance de l'élément minéralisateur efficace. Les eaux de Barèges, par exemple, contiennent 0,03 centigrammes de chlorure de sodium par litre et 0,015 milligrammes de sulfure de sodium, on les a rangées néanmoins parmi les sulfurées, et on a bien fait.

Les auteurs du *Dictionnaire général des Eaux minérales* ont établi la division suivante, que je conserve en transportant toutefois quelques stations d'une classe dans une autre ; je crois, par exemple, qu'Uriage est mieux placé dans les eaux sulfureuses que dans les eaux chlorurées.

1° Eaux sulfurées ;
2° — chlorurées ;
3° — bi-carbonatées ;
4° — sulfatées ;
5° — ferrugineuses.

Les eaux gazeuses représentées en France par Pougues et Condillac, en Allemagne par Seltz, ne sont qu'une sous-division des eaux alcalines. Les eaux bromo-iodurées une sous-division des eaux chlorurées.

1° Eaux sulfurées.

PROPRIÉTÉS. — Les eaux sulfureuses sont minéralisées par un sulfure alcalin, le sulfure de sodium en général. Elles sont naturelles quand elles ont leur origine dans les terrains primitifs, d'où elles viennent toutes formées ; elles sont alors stables et chaudes. Elles sont accidentelles quand elles émergent des terrains secondaires, d'où elles sortent froides et altérables par la chaleur.

L'odeur des eaux sulfureuses est particulièrement désagréable, elle rappelle l'œuf en décomposition ; leur toucher est onctueux et leur saveur nauséeuse. Elles s'administrent à l'intérieur en boisson ; à l'extérieur, en bains, douches, lotions, injections, gargarismes. Sous l'influence des eaux sulfureuses se produit une excitation générale des organes de la digestion, de la respiration, de la circulation et du système nerveux. L'appétit augmente, le pouls ainsi que la respiration s'accélèrent, il n'est pas rare de voir de l'agitation nerveuse et même de l'insomnie ; une transpiration abondante se manifeste à la peau et quelquefois des éruptions vésiculeuses légères, en un mot il y a surabondance de vie dans tout l'organisme, d'où dépuration et rénovation des tissus.

INDICATIONS. — L'excitation des organes étant la propriété dominante des eaux sulfureuses, il importe de ne les employer que dans les maladies chroniques, affectant tout ou partie de l'économie.

Elles sont spécialement indiquées dans les :

1° *Maladies de la peau.* Eczéma chronique. Pityriasis. Prurigo. Lichen. Acné invétérée. Elephantiasis.

2° *Maladies des muqueuses et du poumon.* Catarrhe bronchique et de la vessie. Laryngite et bronchite chroniques. Phtisie. Pharyngite. Leucorrhée. Aménorrhée. Dysménorrhée.

3° *Maladies du système nerveux.* Paralysies et névralgies. Névroses. Dans cet ordre et le suivant les eaux salines fortes sont plus efficaces.

4° *Maladies rhumatismales. Scrofules. Syphilis. Lésions chirurgicales chroniques.* (Luxations, fractures, entorses, fistules, etc.)

PRINCIPALES STATIONS ET SPÉCIALISATION. — Les scrofuleux, les malades atteints de carie, tumeur blanche, vont surtout à *Barèges.* Certaines maladies catarrhales des organes respiratoires : laryngite, asthme, etc., se rendent à *Cauterets* et à

Pierrefonds. Les phtisiques aux *Eaux-Bonnes* et
à *Enghien*. Les rhumatisants à *Amélie* et *Aix* ; les
maladies de la peau à *Luchon, Schinznach, Aix-la-
Chapelle* et *Uriage* ; les maladies des femmes à
Bagnères et aux *Eaux-Chaudes*.

On baigne et on douche à Barèges ; on boit surtout, aux Eaux-Bonnes et à Cauterets.

2° Eaux chlorurées.

PROPRIÉTÉS. — Les eaux chlorurées sont minéralisées par le chlorure de sodium ; il serait aussi
simple de les appeler eaux salées. Elles sont
chaudes, toniques et excitantes ; on les emploie
en boisson, bains, douches, lavements, injections.
Sous leur influence se produit un état de santé
générale et de carnation meilleures, résultat prévu,
car nous savons par l'hygiène comparée, que les
animaux nourris avec des fourrages, auxquels on
ajoute une certaine quantité de sel marin, sont
mieux portants et ont le poil plus luisant et mieux
fourni que ceux qui en sont privés.

L'excitation de la peau, qu'il est important de
produire dans les maladies atoniques, est facile
avec les eaux chlorurées, surtout si on élève la

température du bain ; j'en dirai autant de l'excitation
des fonctions digestives, de la circulation, de l'innervation et de la respiration. Sous leur influence,
la désassimilation devient plus active dans les tissus, le dégorgement des organes en est la conséquence, et un mieux rapide se produit généralement dans les parties condamnées en quelque
sorte à une mort prématurée.

On distingue les eaux chlorurées en fortes et faibles, d'après leur degré de minéralisation et leur
activité. Bourbonne, Balaruc, Salins, possèdent des
eaux fortes ; Plombières, Luxeuil, Bains, la Bourboule qui se classe comme arsénicale, des eaux
faibles.

INDICATIONS. — Les eaux chlorurées, étant toniques et excitantes, conviennent dans toutes les
affections de nature lymphatique ou scrofuleuse,
dans les maladies causées par un trouble accidentel ou prolongé de l'organisme, en un mot elles
sont excellentes pour rétablir l'équilibre des fonctions quand il est détruit.

SPÉCIALISATION. — 1° *Hombourg, Niederbronn,
Plombières*, conviennent aux affections du tube
gastro-intestinal et de ses annexes. Les eaux de
ces stations désobstruent par leur action dérivative
les viscères engorgés, et préparent une action reconstituante.

2° *Bourbonne, Bourbon-l'Archambault, Balaruc,*
sont surtout utiles contre les maladies causées par
l'excès du tempérament lymphatique, scrofule, tumeur blanche, carie, nécrose, ulcères, etc., contre
les affections chirurgicales anciennes, luxations,
fractures, entorses, contusions, coups de feu,
blessures, cicatrices. Les névralgies, les rhumatismes et les paralysies de toute sorte se trouvent
parfaitement aussi de l'usage de ces eaux.

3° *Plombières, Luxeuil,* sont les stations préfé-
rées pour les maladies des femmes : anémie, chlorose, aménorrhée, dysménorrhée.

Les bains de mer rentrent naturellement dans la
grande classe des eaux salines ; ils agissent plutôt
par leur basse température que par leur excessive
minéralisation. Le saisissement produit par le froid
repousse le sang vers l'intérieur ; les pores de la
peau se contractent et ne laissent guère pénétrer
de sel, s'il en pénètre ; mais au sortir de l'eau il y
a réaction, d'où excitation générale énergique, le
sang circule plus vite et l'assimilation devient considérable. Les bains de mer conviennent dans la
scrofule, la chlorose, l'anémie, la chlorée, les débilités digestives et génitales.

L'hydrothérapie n'a rien de commun avec les
eaux minérales, mais son action se rapprochant

1.

beaucoup de celle des bains de mer, je crois devoir en dire un mot.

L'application de l'eau froide agit avantageusement contre les névroses, en produisant une perturbation instantanée dans le système nerveux ; contre le lymphatisme et les débilités, en resserrant les capillaires sanguins et en produisant ultérieurement une vive réaction de tout l'organisme.

3° Eaux bi-carbonatées.

PROPRIÉTÉS. — Les eaux bi-carbonatées ou alcalines sont minéralisées par le bi-carbonate de soude, quelques-unes par le bi-carbonate de chaux, Pougues, par exemple. Ordinairement froides ou tièdes, incolores et inodores, avec saveur aigrelette d'abord, alcaline ensuite, légèrement gazeuses, elles s'emploient en boisson et bains, rarement en douches. L'action des eaux alcalines s'exerce sur les fonctions digestives qui sont activées, mais moins vivement que par les précédentes. La sécrétion biliaire devient plus abondante et plus alcaline, la sécrétion urinaire est également augmentée, les urines sont moins acides qu'à l'état normal. J'en dirai autant de la sueur, le sang lui-même sous l'influence des eaux bi-carbonatées devient plus liquide et plus alcalin. La circulation se faisant plus rapidement, les engorgements tendent à disparaître ; la désassimilation étant plus active, l'appétit est meilleur. En un mot, il se produit, par l'usage des eaux qui nous occupent, une alcalisation générale, favorable dans un certain nombre de maladies.

L'action produite est ordinairement lente et progressive, elle est moins vivement accusée que par les eaux sulfureuses ou salines.

INDICATIONS. — 1° Les affections chroniques du foie et en général de tout l'appareil biliaire ; les eaux alcalines n'ont pas de rivales pour rendre à la bile ses qualités normales et son cours régulier. Les engorgements et les coliques hépatiques se trouveront parfaitement de l'usage des eaux de Vichy, de même la gravelle et les coliques néphrétiques. J'en dirai autant, mais à un moindre degré, de certaines affections de l'estomac, dyspepsie, gastralgie, du diabète, de la goutte, ainsi que des dartres qui accompagnent ou alternent avec la goutte et le rhumatisme.

2° Les affections catarrhales chroniques sont particulièrement envoyées à Ems, la phtisie même peut y être améliorée ou prévenue, mais cette

station reçoit surtout des bronchites et des laryn-
gites chroniques, des catarrhes vésicaux et utérins,
quelques asthmes, certaines névroses.

PRINCIPALES STATIONS BI-CARBONATÉES. — *En
France*, Vichy, Cusset, Hauterive, Pougues, Condillac, Saint-Galmier, Aix, Vals, Mont-Dore classée
aussi comme arsénicale, Néris, Royat et Evian.
En Allemagne, Ems.

4° Eaux sulfatées.

Les eaux sulfatées sont ordinairement froides et
minéralisées par des sulfates de chaux, de magnésie et de soude. Sous l'influence de ces éléments
divers, toutes les sécrétions sont activées, principalement les sécrétions urinaires et intestinales.

Eminemment diurétiques, elles produisent, prises
en grande quantité, une sorte de lixiviation des
reins, des canaux et des réservoirs urinaires, elles
entraînent dans leur migration rapide les graviers
et même les calculs de petite dimension. Leurs
effets sont mécaniques et non chimiques, en
général de courte durée.

Les eaux sulfatées s'administrent en boisson
contre la goutte, la gravelle et les calculs urinai-

res, le catarrhe de vessie et quelquefois le catarrhe utérin.

PRINCIPALES STATIONS. — Contrexéville, Vittel, Martigny-les-Lamarche, source Maynard à Bourbonne, Sermaize, Saint-Amand, Epsom, Pullna, Loëche, Carlsbad.

5° Eaux ferrugineuses.

Les eaux ferrugineuses sont minéralisées par des carbonates ou des sulfates de fer. Froides et astringentes elles s'administrent en boisson.

Toniques reconstituantes, ces eaux agiront avantageusement sur les états constitutionnels, suites d'un appauvrissement dans la qualité ou la quantité du sang. Stomachiques, elles augmentent l'appétit et rendent les digestions plus rapides et plus faciles.

INDICATIONS. — *Toniques reconstituantes*, elles seront indiquées dans la chlorose, l'anémie, les débilités, suites de maladies longues ou accidentelles, les troubles nerveux ou fonctionnels, les vices de la menstruation, la leucorrhée, etc.

Stomachiques, elles conviendront dans l'embarras gastrique, la dyspepsie, les gastralgies chroniques, l'ictère et les engorgéménts du foie et de la rate, la fièvre intermittente, etc.

PRINCIPALES STATIONS. — *En France*, Bagnères-de-Bigorre, Cransac, Forges, Alet, Mont-Dore, Bussang, Passy, Auteuil, Orezza en Corse, Larivière près Bourbonne. *En Belgique*, Spa. *En Allemagne*, Schwalbach.

Un mode de classement des Eaux minérales, très défectueux du reste, consiste à grouper les Eaux par régions, une même contrée donnant en général des Eaux similaires, avec une source dominante par sa chaleur et sa minéralisation.

— *Groupe de l'Est et des Vosges*; *chlorurées chaudes* : Bourbonne, station cathédrale ; Plombières, Luxeuil, Bains.

Sulfatées froides: Contrexéville, Vittel, Martigny.

— *Groupe du centre ou de l'Auvergne; alcalines* : Mont-Dore, la Bourboule, Royat, Vichy, Néris.

— *Groupe des Pyrénées* : Eaux Bonnes, Cauterets, Luchon, Baréges, Amélie.

Et en continuant de la sorte : *Groupe des Alpes, du Jura*, etc., etc.

Ce système perfectionne les études géographiques, s'il n'augmente pas les connaissances médicales.

PREMIÈRE PARTIE

BOURBONNE

— ✳ —

CHAPITRE PREMIER

TOPOGRAPHIE

Bourbonne–les-Bains est un chef-lieu de canton de l'arrondissement de Langres, situé aux confins des départements de la Haute-Marne, des Vosges et de la Haute-Saône. La ville, tête de ligne d'un petit chemin de fer qui se soude à Vitrey, à la grande ligne de Paris à Belfort, est à la distance de trente-neuf kilomètres de Langres, cinquante-trois de Chaumont et trois cent quarante-quatre de Paris.

Ses coordonnées sont : longitude orientale 3° 25 ; latitude nord 47° 57 ; altitude de l'établissement thermal au-dessus du niveau moyen de la mer, 255 mètres.

La population est d'environ quatre mille cinq
cents habitants dont la majeure partie est occupée
aux travaux des champs. L'industrie prend chaque
jour plus de développement, ses éléments sont
nombreux ; je citerai notamment : les fabriques de
meubles, en chêne sculpté ; les bois ; les vins ; le
plâtre, tuiles et briques ; la coutellerie, et dans un
ordre plus modeste et cependant fort appréciable,
la charcuterie et les pâtes d'amandes si avantageusement connues sous le nom de macarons de
Bourbonne.

La ville est construite sur une colline peu élevée
et dans les deux vallons adjacents qui sont arro-
sés le premier au nord par la rivière d'Apance,
l'autre au midi par le ruisseau de Borne. L'Apance
prend sa source dans les bois de Labondice et
dans son trajet d'environ trente kilomètres jusqu'à
Châtillon où elle se jette dans la Saône, cette petite rivière alimente plus de vingt usines. Ce cours
d'eau si bien utilisé reçoit à cent mètres de la ville
le ruisseau de Borne, qui a son origine dans le bois
des Epinets.

Le plateau de Pouilly à cinq kilomètres de Bourbonne est un des points orographiques les plus
intéressants de France. Il existe une ferme sur le
territoire de cette commune, dont les toits versent

leur eau dans trois mers différentes, dit-on : Au couchant dans un ruisseau tributaire de la Marne, au levant dans l'Apance et par conséquent dans la Saône, au nord dans la Meuse.

Bourbonne est adossée au nord et au couchant à la chaîne des Faucilles élevée de 450 mètres, couverte à son sommet de magnifiques forêts ; sur ses flancs, de vignes dont les produits sont justement réputés. Aux pieds de notre vieille ville se déroulent de vertes prairies, bien loin à l'est la crête majestueuse des Vosges ferme l'horizon. Le site est délicieux et le regard ne se lasse pas d'admirer ces villages perchés au nord et à l'ouest sur des roches escarpées et à l'est couchés mollement le long de la rivière.

Géologie.

M. Drouot divise en sept classes les diverses formations qui se montrent aux environs de Bourbonne :

1° *Alluvions* récentes constituées par des débris de calcaires et de marnes, dans les vallées de Borne et d'Apance.

2° *Grès infra liasique* formant les plateaux élevés et alternant avec des marnes grises ou noires. Ce grès fournit de bonnes meules à aiguiser.

3° *Marnes irisées* recouvrant de fortes assises de gypse et recouvertes elles-mêmes par le grès. D'importantes carrières de gypse sont exploitées à Bourbonne et fournissent un plâtre employé surtout par l'agriculture.

4° *Muschelkalk* dominant par son importance toute la formation géologique de la contrée. Les bancs de calcaire sont employés à l'empierrement des chemins, quelques-uns sont exploités pour la bâtisse.

5° *Grès bigarré*, accompagné d'argiles plus ou moins sableuses utilisées pour la fabrication de tuiles et de tuyaux de drainage.

6° *Terrain de transition* peu étendu et situé près de Châtillon-sur-Saône.

7° *Granite*, il n'en existe qu'un bloc de quelques mètres de diamètre et voisin également de Châtillon.

Les sources minérales s'échappent des profondeurs de la terre par une faille, formant aujourd'hui le vallon de Borne et produite par la dislocation des assises du muschelkalk et du grès bigarré.

La plus sérieuse difficulté que l'eau thermale rencontre dans son ascension, est causée sans aucun doute par la masse argileuse qui recouvre le

grès. Il est probable qu'immédiatement au-dessous
des argiles il existe une nappe d'eau secondaire
peu profonde, peu large, mais occupant toute la
longueur du vallon de Borne. La nappe principale
serait, dans cette supposition toute gratuite, je me
hâte de le dire, située immédiatement au-dessous
du grès bigarré.

Dans les différents forages exécutés sur la place
ou le jardin des bains, ainsi qu'à l'hôpital militaire,
la sonde a successivement traversé les formations
géologiques suivantes, avant d'arriver à la nappe
d'eau souterraine.

1° Les terrains d'alluvion ou remaniés d'une
épaisseur moyenne de huit mètres. Immédiatement
au-dessous de cette première couche se trouve en
plusieurs endroits un pavé épais de deux mètres,
constitué par un béton romain très dur, composé
lui-même de mortier, de briques et de fragments
de muschelkalk.

2° Les argiles bariolées, alternant à une certaine
profondeur avec des grès solides ou désagrégés.
Cette deuxième couche géologique a de trente à
quarante mètres de profondeur, et repose définitivement sur le grès solide.

Climatologie.

Le climat de Bourbonne est tempéré, variable
sans excès. La ville est éminemment salubre, les
épidémie rares, la vie moyenne supérieure aux
limites ordinaires. Le mois de mai est quelquefois
pluvieux et froid, l'été sec et chaud, l'automne toujours délicieux. Les vents du sud-est dominent en
été, d'ouest en hiver. La neige n'est jamais abondante, ni de longue durée.

Notre station placée dans le bassin du Rhône reçoit ses influences climatériques de la Méditerra-
née, aussi est-elle jugée petite Provence en Haute-
Marne, ce qui décide souvent les médecins expérimentés a nous adresser leurs clients de préférence
à Plombières, à cause des changements moins
brusques de température.

Anthropologie.

Les habitants de Bourbonne et des environs sont
de stature moyenne. Leur tempérament lymphatico-sanguin est excellent. Ils résistent très bien
aux dures fatigues qu'ils n'épargnent ni à eux, ni
à leurs femmes, ni à leurs enfants.

Calmes et froids au premier abord, ils devien-

nent rapidement enthousiastes et confiants. Gogue-
nards, ils emploient, acceptent et comprennent vite
les plaisanteries les plus fines. Doux et bons, ils
aiment à rendre service ; peu rancuniers, s'ils
n'oublient pas, ils pardonnent volontiers les in-
jures. Je leur reprocherai seulement d'être légèrement frivoles et volages, de sacrifier souvent l'idole
de la veille à celle du jour. Les hommes publics
s'usent à Bourbonne avec une merveilleuse rapidité ; ajoutons bien vite qu'ils descendent du pouvoir avec une noble indifférence.

L'instruction primaire est extrêmement répandue
dans tout le canton ; les jeunes gens qui ne savent
ni lire ni écrire sont très-rares. Le patois est à
peine employé par quelques vieillards. Voici une
chanson ancienne que je trouve dans les mémoires
de notre trop célèbre compatriote Louise Michel,
avec sa traduction mot à mot, qui donnera une
idée de cet idiôme oublié.

L'AGÉ NA DEU CHAMP FAUVÉ

—

> Dans l'champ fauvé c'étot.
> Un bel âgé chantot.
> Teut na il étot.
> Il fo y brâchot
> Ka ki dijot l'agé.
> L'agé deu champ fauvé ?

C'etot pa les échos
Sous lu âbres du bos,
Li bise pleurot
Devenu lu brâchot
Ce que dijot l'agé
L'agé deu champ fauvé ?

L'OISEAU NOIR DU CHAMP FAUVE.

—

Dans le champ fauve c'était.
Un bel oiseau chantait.
Tout noir il était.
Si fort sanglotait !
Que disait-il l'oiseau,
L'oiseau du champ fauve ?

C'était par les échos.
Sous les arbres du bois
La bise pleurait,
Avec lui sanglotait
Ce que disait l'oiseau
L'oiseau du champ fauve.

Et Louise Michel ajoute avec mélancolie : après
bien du temps, à travers bien des flots, l'*âgé na du
bos* me revenait dans les cyclones.

CHAPITRE II

ORIGINES

L'origine de Bourbonne est extrêmement ancienne. Il est certain que les Gaulois connaissaient
les qualités de nos eaux, sinon leurs propriétés.
Aimoin, chroniqueur français, mort en 1008, et
auteur d'une histoire des Français (*Gesta Franco-
rum*) , cite le premier Bourbonne et l'appelle *Vervona*. Le P. Tournemine, savant jésuite, mort en
1739, et connu surtout par des recherches sur l'o-
rigine des Français, décompose Vervona en deux
mots celtes : *vero* qui signifie chaud, et *von* fontaine.
M. Ath. Renard a défendu cette étymologie, par des
raisons qui la rendent très vraisemblable; aussi
a-t-il convaincu à peu près tout le monde.

Bourbon-l'Archambault, Bourbon-Lancy, possèdent également des eaux thermales, il est donc
très-probable qu'ainsi que Bourbonne, ces deux
villes doivent leurs noms aux sources qui émergent
sur leur territoire.

Vervona, telle est la première appellation connue
de Bourbonne ; le v et le b étant deux lettres qui
se remplaçaient mutuellement, on a eu bientôt
Berbona, puis Borbona, et enfin Bourbonne.

Cette explication paraît rationnelle et réunit le
plus grand nombre d'adhérents.

Berger de Xivrey nie l'existence des deux mots
celtes *vero* et *von*, il fait dériver Bourbonne de
Borvo, dieu des eaux, et Borvo de bourbe.

Voici un certain nombre d'étymologies, dont
quelques-unes sont curieuses. Gruter dérive Bourbonne de bourbe et de bonne. Juvet de boue bonne.
M. Magnin de Βορϐορος ονειος boue utile. Olivier
de la Marche de bourg bon. Dugas de Beaulieu du
mot celte bourbounen, bouillonnement, dérivé
lui-même sans doute de Βορϐορυξω, je fais du
bruit.

Quoi qu'il en soit, le surnom de Borvo, donné à
Apollon, se retrouve dans plusieurs inscriptions
précieusement conservées à Bourbon-Lancy et à
Bourbonne. Il est probable que les Romains ont
emprunté ce qualificatif à la langue celte.

Les Romains, comme les Grecs, plaçaient toutes
choses sous le patronage d'un dieu ou d'une
déesse, qu'ils inventaient à l'occasion ; aussi plusieurs commentateurs ont décomposé le mot Da-

monæ que nous retrouverons dans quatre inscriptions en *dam,* vierge, ou dame, et *onæ* de la
fontaine. Damona, suivant eux, était une sorte de
naïade protectrice des sources. Le Bois du Danonce lui était-il consacré et le ruisseau de Borne
à Borvo?

Voici la représentation des inscriptions gallo-
romaines découvertes à Bourbonne.

La plus anciennement connue a été trouvée au
xvi° siècle: elle est gravée sur une pierre blanche
encastrée dans le mur qui séparait la salle de jeu
du salon de lecture de l'établissement; elle paraît
dater du iii° siècle.

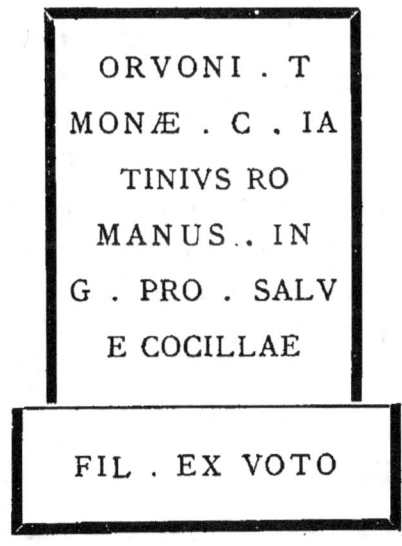

```
ORVONI . T
MONÆ . C . IA
TINIVS RO
MANUS . . IN
G . PRO . SALV
E COCILLAE

FIL . EX VOTO
```

2

Berger de Xivrey rétablit ainsi ce texte :

Borvoni, Tamonæ (sic pro Damonæ), *C. Jatinius Romanus Ingenuus pro salute Cocillæ filiæ. Ex voto.*

« Caïus Jatinius Romanus Ingenuus s'est acquitté de son vœu envers Borvo et Damona, pour la santé de sa fille Cocilla. »

Damone, je l'ai déjà dit, était sans doute la déesse protectrice des sources minérales comme Borvo en était le dieu tutélaire.

La traduction de Xivrey n'est généralement pas acceptée, on lui préfère celle du P. Lempereur qui traduit à la quatrième et cinquième ligne IN. G par *in. Gallia.* On a donc :

« A Borvo et à Damone, C. Jatinius, romain, venu en Gaule pour la guérison de sa fille Cocilla, ex-voto. »

En 1829, on découvrit, au lieu dit le Prieuré, le chapiteau d'un monument funéraire, sur lequel est gravée l'inscription dont voici la reproduction :

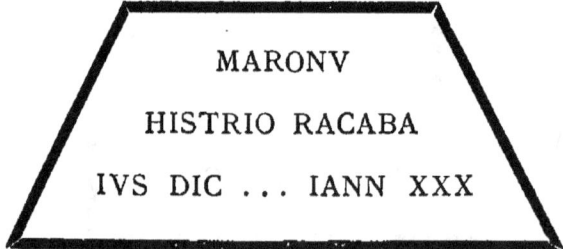

MARONV

HISTRIO RACABA

IVS DIC ... IANN XXX

M. de Mombret rétablit cette inscription de la manière suivante :

Maronus histrio Racabajus dictus vixit ann. xxx. « Maronus, comédien, surnommé Racabajus, vécut trente ans. »

M. A. Doby, *Progrès* du 25 juillet 1878, rend compte de plusieurs découvertes opérées par M. Chaly, au même endroit ; entre autres, une dalle funéraire creusée en forme de niche, et renfermant la statue d'un personnage romain ; et à côté une inscription incomplète :

```
M . . .

RIGIL . . .
```

« A la mémoire de Rigillus. »

L'inscription suivante a été trouvée en 1833 dans les décombres d'une maison incendiée ; elle est gravée sur une table de marbre ; donnée à l'établissement par M. A. Renard, elle se trouve dans le cabinet du régisseur.

```
DEO . APOL

LINI BORVON

ET DAMONÆ

C . DAMINIVS

FEROX CIVIS

LINGONVS EX

VOTO
```

« Au dieu Apollon Borvo et à Damone, C. Dami-
nius Ferox citoyen de Langres. Ex-voto. »

La première des quatre inscriptions que je viens
de reproduire est en mauvais état, comme pour la
seconde, on devine plutôt qu'on ne lit certaines
lettres ; quant à la dernière, elle est d'une conser-
vation remarquable.

Outre ces monuments on a découvert, à diverses
époques, en creusant le sol du quartier bas, une
quantité de médailles, d'ustensiles de toute sorte,
de chapiteaux et de fûts de colonnes, etc., vestiges
d'un établissement important des Romains.

Récemment encore, M. Galaire, de Port-sur Saône, a trouvé, en fouillant le sol de sa localité, un vase de verre blanc, sur le fond duquel se trouve en relief l'inscription suivante :

G. LEVPONI BORVONICI

Il y avait sans doute, à l'époque gallo-romaine, une verrerie à Bourbonne dirigée par *G. Leuponus.*

M. Dugas de Beaulieu constate, dans un mémoire sur les antiquités de Bourbonne, qu'il existait aux premiers siècles de notre ère, trois temples romains situés :

« Le premier et le principal à l'extrémité Nord-Est du plateau de la colline du château. L'édifice devait être d'une grande magnificence, à en juger par les colonnes de granit des Vosges qui en décoraient le portique, et dont il y a sur place deux tronçons.

« Le second, plus vaste, mais d'une architecture moins riche que le précédent, puisque les colonnes n'étaient que de pierre calcaire, devait se trouver au pied de la colline, sur le bord d'une voie romaine qu'a remplacée la rue Vellonne. Il n'en

2.

reste que deux tronçons cannelés de 0ᵐ 66 de diamètre. »

Cette opinion se justifie très-bien, car s'il a
existé un temple seulement, il devait se trouver
près du bain Patrice et c'est là justement dans
l'aqueduc destiné à recevoir le trop plein du puisard construit récemment, que le 9 juillet 1869 a
été exhumée avec soin une magnifique pierre (calcaire oolithique) dont la hauteur est de 1ᵐ 37 et la
largeur 0ᵐ 35. Sur l'une des faces dans un enca-
drement, se lit l'inscription suivante, admirablement conservée.

```
        A V G

      B O R V O N

    C  .  V A L E N T

      C E N S O R I

         N V S

     M V L L I  .  F

      E X   V O T O
```

Les personnes présentes au moment de la découverte de ce monument, placé comme les suivants le long des allées du parc, ont lu de suite :

« Au divin ou à l'auguste Borvo, C. Valentinus
Censorinus, fils de Mullius. Ex voto. »

Le 3 août 1869, dans le même endroit, on trouvait
une seconde pierre (grès bigarré) de la forme et du
volume de la précédente. Sur l'une des faces de
celle-ci, existe également une inscription parfaitement conservée, la voici :

BORVONI

ET . DAMON

IVL . TIBERIA

CORISILLA

CLAVD CATONS

LING

V . S . L . M .

Gruter, t. I, pages 84, 92 et 132, cite trois inscriptions renfermant ces quatre lettres V. S. L. M.; il

en existe bien d'autres ; on les regarde comme
têtes des mots votum solvit libenter merito,

L'inscription du 3 août peut donc s'expliquer de
la manière suivante, toutes réserves faites :

« A Borvo et à Damone, Julia Tiberia Corisilla
(femme ou fille) de Claude Caton de Langres, s'est
acquittée avec plaisir de son vœu, comme elle le
devait. »

Le 21 janvier 1870, les ouvriers de M. Mouchet
ont retiré de la tranchée qu'ils creusaient en face
de l'établissement civil une pierre en grès, cassée
au milieu de sa hauteur et portant l'inscription suivante :

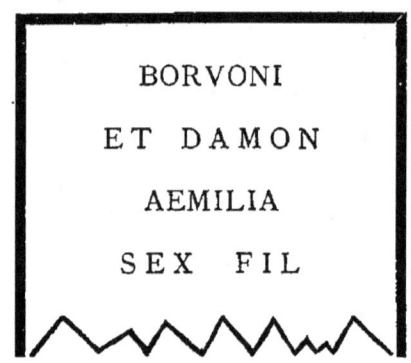

BORVONI

ET DAMON

AEMILIA

SEX FIL

Sur le fragment inférieur absent, se trouvaient
sans doute les mots EX VOTO, ou les lettres
V. S, L. M. L'intervalle compris entre les lettres

X et F à la quatrième ligne était vraisemblablement occupé par les lettres T I. L'inscription tout
entière peut donc se traduire :

« A Borvo et à Damone, Æmilia fille de Sextus.
Ex voto. »

La face postérieure de ces trois dernières pierres
n'est pas taillée, ce qui fait supposer qu'elles étaient
encastrées dans un mur.

Il existe aux quatre angles de la plate-forme des
deux dernières, des traces de griffes qui retenaient
évidemment un objet d'art, la statue du Dieu Borvo
peut-être, en bronze ou en marbre. On retrouve
peu de ces œuvres anciennes, qui étaient sans
doute elles-mêmes l'ex voto, la pierre étant uniquement destinée à les supporter et à recevoir
l'inscription.

Il est probable que lors de l'invasion, les Gallo-
Romains emportèrent dans leur fuite ce qu'ils
avaient de plus précieux, les barbares pillèrent à
leur tour ce qui avait pour eux une valeur quelconque, les métaux devaient surtout les séduire ;
il n'est donc pas surprenant qu'on ne découvre
presque jamais d'objets remarquables par la matière ou le travail oubliés par les vainqueurs et
les vaincus, et qui seraient, comme le reste, en-
fouis depuis des siècles sous les couches végétales

et minérales produites par des atterrissements successifs.

Le 12 mars 1870, à l'angle N.-O. du bâtiment des bains civils et à la profondeur de quatre mètres environ, les terrassiers mirent à découvert une vaste chambre, vrai cabinet de bain renfermant un siège de forme ronde en pierre et une baignoire ébréchée, également en pierre communiquant avec le puisard, au moyen d'un conduit par lequel s'écoulait l'eau minérale en grande abondance. Le même jour, on trouva noyé dans du ciment, à quelques mètres plus bas, un tuyau en plomb d'un diamètre de 8 centimètres et sur lequel on lit en relief l'inscription :

CINNAMVS-FEC

Je dois à l'obligeance de M. Preschey, garde-mines, les précieux renseignements qui suivent, sur les derniers travaux exécutés à Bourbonne.

« Depuis la construction de l'aqueduc de décharge des eaux thermales, les travaux d'aménagement des sources n'ont pas été interrompus.

« A la fin de 1874, des travaux importants ont été commencés dans le but d'augmenter le rendement des sources en abaissant leur niveau d'émergence : les résultats ont été des plus satisfaisants et la station de Bourbonne dispose environ de 600,000 litres d'eau thermale par vingt-quatre heures. Ces travaux difficiles à tous les points de vue ont fourni certains renseignements qui prouvent une fois de plus que les eaux de Bourbonne étaient non-seulement connues, mais bien fréquentées par les Romains.

« Lors de la construction du puisard civil à l'Ouest de la place des Bains, on a mis à découvert sur une certaine surface, les restes d'un temple romain. A en juger par les colonnes, en grande oolithe, que l'on a sorties et dont deux sont actuellement placées dans le jardin des bains civils, ce monument devait être colossal et grandiose. Le dallage de cette construction se trouvait à 3^m 50 en contre-bas du sol actuel, ce qui ne veut pas dire que cette partie a été remblayée de 3^m 50. Il est certain que les Romains avaient placé leurs bains en contre-bas du sol. Ils prenaient l'eau thermale où ils la trouvaient ; les moyens de l'élever leur manquaient, c'est à n'en pas douter. Un tronc en grès, placé près des colonnes, se trouvait sur ce dallage, il était destiné à recevoir des offrandes. A la partie supérieure et de côté, une ouverture de 0^m 06 sur 0^m 15 était réservée à cet effet. Il est composé de

deux parties qui étaient rapprochées par des mor-
ceaux de fer scellés au plomb, dont on ne voit plus
que les traces. Lors de sa découverte, la partie
supérieure se trouvait renversée et avait été mise
de côté probablement après le bris des scellements.
La partie inférieure ne renfermait aucune mon-
naie. On a également trouvé dans cette partie des
conduites en plomb dont les tuyaux portaient en
relief les inscriptions suivantes :

COCILLVS-FEC

CINNAMVS-FEC

NIVALIVS-AGEDINVS

les uns amenaient de l'eau thermale, les autres de
l'eau douce.

« Un peu au Sud, lors des terrassements nécessaires pour l'installation du bâtiment des pompes
et les galeries des sources, on a trouvé : un buste
de femme en bronze portant des traces de dorure,
il se trouvait près d'un autel en briques, en forme
de niche, ce qui porte à croire qu'il représente la
déesse DAMONA ; de plus, une tête d'enfant en
marbre très-bien conservée, des débris de plaques
en marbre blanc, avec de grandes lettres très-bien
faites, mais sans inscriptions complètes, des cornes

d'aurochs de fortes dimensions, provenant sans doute de sacrifices offerts par les Romains aux dieux, en reconnaissance de leur guérison.

« Tous ces objets étaient épars au milieu de constructions bouleversées, mais qui laissaient voir un reste de splendeur. Il est probable que ces ruines devaient autrefois servir de bains ou de piscines, dont les revêtements étaient en marbre de différentes couleurs.

« A la même époque 1874-1875, un sondage était entrepris sur l'emplacement même du puisard romain. Pour exécuter ce travail, on a dû enlever la vase du fond pour installer convenablement et solidement les appareils ; cette vase a été lavée au tamis et recélait environ 5,000 médailles, dont 4 en or très bien conservées aux effigies de ADRIEN, FAUSTINE, NÉRON, HONORIUS ; 250 en argent, et le reste en billon. Une partie de cette dernière catégorie était fruste par suite de son séjour prolongé dans l'eau thermale. On a également trouvé deux statuettes d'applique en bronze de 0 m. 10 de hauteur environ, des bagues, des épingles, des attaches, des débris de colliers en ambre, des têtes de dauphins, etc., assez bien conservés.

« Des galeries avoisinaient le puisard romain, elles devaient servir d'étuves, on a pu y pénétrer non sans difficultés à cause de la chaleur et du manque d'air. Dans l'une d'elles existe un puits en plomb de 0 m. 60 de diamètre et 1 m. 50 de profondeur, à partir du sol de ces galeries ; deux robinets étaient placés à la partie supérieure. On ne sait pas au juste à quoi il était destiné ; on y a trouvé quelques pièces ou médailles romaines qui étaient mieux conservées que celles sorties du puisard romain. On a retiré de ces galeries trois *ex-voto,* dont voici la représentation.

La première en grande oolithe :

```
DEO BOR

VONI

VITA

LIA

SAS

SVLA

EX VO

TO
```

« Au dieu Borvo, Vitalia Sassula. *Ex-voto.* »

La deuxième en grès ainsi que la troisième :

```
DEO  BORVO

ET  DAMOÆ

VERREA  VERI

NA  LINGO
```

« Au dieu Borvo et à Damone Verrea Verina de Langres. »

```
BORVONI

ET  DAMO

NAE

XTILIA

EXTI  FIL

MED
```

« A Borvo et à Damone, Sextilia fille de Sextus, médecin. »

« Depuis quelques années on cherchait le moyen
de refroidir l'eau thermale, sans altérer ses propriétés, il y a eu essais et projets. Cette question
a été résolue ; l'Etat a acquis un hectare de terrain
au-dessus du jardin des bains civils, de l'autre
côté du mur de clôture, et y a construit à l'Est les
réservoirs militaires, à l'Ouest les réservoirs civils.
L'eau thermale est montée dans ces réservoirs
d'une capacité de 400 mètres cubes, 100 mètres
cubes chacun, au moyen de pompes à vapeur placées à proximité du puisard. L'eau arrive d'abord
dans le réservoir d'eau chaude qui est couvert et
dont le trop plein se déverse dans les réservoirs
d'eau refroidie, où la réfrigération se fait naturellement, au contact de l'air.

« A mi-côte, se trouvent d'autres réservoirs pour
les douches faibles, ils sont alimentés par les supérieurs. De cette façon, l'établissement civil possède des douches à deux pressions : une pression
de dix-huit mètres et une de neuf mètres, ce qui
répond à tous les besoins. L'établissement militaire possède les mêmes ressources, sauf les douches faibles ; il ne possède que les réservoirs supérieurs.

« A la suite de ces travaux d'aménagements, on
a commencé les reconstructions des thermes civils

dont l'état de vétusté ne pouvait durer sans redouter quelque avarie. A l'ouest s'élève le bâtiment de
deuxième classe, divisé en deux parties symétriques, hommes et femmes. Chaque partie renferme
une piscine, divisée en trois compartiments, pouvant recevoir quarante-cinq personnes, quatre cabinets de bains, huit cabinets de douches, des ves-
tibules et vestiaires, un cabinet de consultation
ayant accès dans les deux services.

« Dans les fouilles nécessaires à l'exécution de
ce bâtiment, on a découvert des chambres romaines dont le sol et les parois étaient revêtus de marbre. Derrière ces plaques de marbre étaient placés
des conduits en briques creuses, dans lesquels
circulait l'air chaud venant de foyers d'hypocaus-
tes, placés au-dessous de leur sol et dont on a re-
trouvé les traces ; mais comme précédemment on
a dû passer outre, afin d'éviter des accidents et ne
pas retarder l'exécution des travaux. On a trouvé
dans cette partie une plaque de bronze de 0ᵐ 70 de
long sur 0ᵐ 30 de hauteur, avec l'inscription suivante très-bien faite et bien conservée :

```
DAMONA   AVG

CLAUDIA  MOSSIA  ET  C . IVL

SUPERSTES   FIL

L . D . EX . D . D . V . S . L . M
```

« A l'Auguste Damone, Claudia Mossia et le fils survivant de Caïus Julius, ayant obtenu, par un décret des décurions, la concession de ce terrain, se sont acquittés de leur vœu avec plaisir comme ils le devaient. » *Loco dato ex decreto decurionum, votum solverunt libenter merito.* (Traduction de l'abbé Doby.)

```
BORVON

IIT . DAMO

FROT . LV . S . F .
```

« A Borvo et à Damone, Froto s'est acquitté avec plaisir.... »

Cette dernière inscription est gravée sur un autel de grès en mauvais état.

« Lors de la construction des galeries sous l'établissement de 1re classe, on a trouvé un ex-voto, colonne ronde avec chapiteau, grande oolithe, portant l'inscription suivante :

```
DEO  BORVONI

ET  DAMON

MATVRIA  RVS

TICA

V . S . L . M .
```

« Au dieu Borvo et à Damone, Maturia Rustica a acquitté avec plaisir son vœu comme elle le devait. »

« On a également mis à découvert des substructions romaines, se reliant avec celles trouvées précédemment, mais dont on n'a jusqu'à présent qu'une idée imparfaite.

« Le 17 octobre 1877, on a trouvé en démolissant la pile S.-O. des constructions servant aux douches, dans l'intérieur de cette pile, une plaque de cuivre de 17 centimètres sur 20 avec l'inscription suivante :

« L'an 1783, les bains ont été construits des deniers de messire Paul Demesme, comte d'Avaux, gentilhomme d'honneur de monseigneur le comte d'Artois, mestre de camp du régiment de Medoc-Dragon, seigneur marquis de Bourbonne-les-Bains, suivant les plans de M. Paris, architecte du roy et dessinateur de son cabinet, sous la conduite du sieur Jarrié, inspecteur, et de la Rue, commis. »

Plusieurs amateurs possèdent des objets anciens intéressants. M. Liegos-Thibaut possédait en 1873 une médaille en argent trouvée dans un puits de la rue d'Orfeuil. Sur une face on voit un buste romain avec la légende :

IMP. MAXIMINVS PIVS AVG

sur l'autre face la représentation de la déesse Hygie avec la légende :

SALVS AVGVSTI

Voici une note que M. l'abbé Doby a bien voulu m'adresser.

Ce savant archéologue ayant l'intention de publier une notice sur Bourbonne, je n'ai pas cru pouvoir profiter de son offre obligeante.

« Je vous envoie la description des deux monnaies mérovingiennes frappées à Bourbonne, dont je vous ai parlé. Ce sont deux triens ou deux tiers de sol d'or.

1° BVRBVLNE CAS. Buste du monétaire à droite. R — VILIEMVNDVS MONT. Croix bouletée au dessus de trois degrés, accostée des initiales GV. Poids : 1.15 ;

2° MEDVLFO MO. Buste diadémé à droite. R. — BORBONE C. NETA. Croix égale dans un diadème de perles. Poids : 1,10.

La lecture de ces pièces est facile : BVRBVLNE CASTRVM. Revers VILIEMVNDVS MONETA-RIVS. Les lettres GV qui se trouvent dans le champ, sont une variante de l'initiale du nom du monétaire : MG Viliemundus. On l'appelait indifféremment Guilliemundus et Viliemundus ; c'est-à-dire Guillemot ou Villemot. Cette confusion est très fréquente à cette époque, elle révèle une période d'homophonie entre V et GV.

Le nom du monétaire qui se trouve sur la seconde pièce est MEDVLFO. Cette pièce présente une particularité remarquable : c'est la coupure du mot moneta, dont une partie est à l'avers et l'autre au revers. Ce fait ne s'est encore présenté que sur une pièce de Besançon, frappée à la même époque.

On voit par ces pièces que Bourbonne sous les Mérovingiens était une place forte importante et que si l'histoire est muette sur l'antiquité de cette ville, les monuments parlent.

Je vous ai dit que j'ai fait graver ces deux pièces. Si vous désirez les reproduire dans la quatrième édition de votre ouvrage, je tiens les bois à votre disposition. »

Comment et par qui furent découvertes les propriétés thérapeutiques de nos eaux? Nul ne le sait. Je ne raconte la légende Bourbonnaise qu'à titre de curiosité, bien entendu.

Les habitants de La Neuvelle conduisaient jadis leurs cochons à la glandée dans les bois de Bourbonne malgré l'opposition de leurs voisins. Ceux-ci irrités capturèrent un jour tous les porcs qu'ils purent saisir sur leur territoire et les réunirent sur la place actuelle des bains. Les animaux se mirent incontinent à fouiller et ne tardèrent pas à faire jaillir une source brûlante. Quelques-uns atteints de lèpre s'y vautrèrent avec délices et, fait curieux, se trouvèrent guéris de leur affection. Ce miracle fit donner aux gens de La Neuvelle l'autorisation de conduire leurs cochons dans les bois de Bourbonne, et eux-mêmes purent faire usage gratuitement des eaux.

A propos de cette croyance, Diderot, dans son voyage à Bourbonne, s'exprime ainsi :

Quand je pense que ce sont les mêmes animaux qui ont trouvé les sources salutaires de Bourbonne, auxquels nous devons les truffes excellentes qu'on nous envoie encaissées dans des poules d'Inde.

> Aux bons cochons je porte révérence
> Comme à des gens de bien, par qui le ciel voulut
> Que nous eussions un jour et plaisir et salut.

CHAPITRE III

HISTOIRE

A l'époque de l'invasion des barbares, tout disparut ici comme ailleurs; il faut arriver au septième siècle pour retrouver trace de Bourbonne. C'est Aimoin, comme j'ai dit, qui le premier en fait mention sous le nom de *Vervona*.

Certains archéologues ont pensé que le nom de *Indesina* avait précédé celui de Vervona. Les auteurs de l'histoire de Jonvelle, copiant à peu près textuellement M. Pistollet de Saint-Ferjeux, s'expriment ainsi : « Le nom primitif de Bourbonne paraît avoir été *Indesina*, que l'on trouve dans la carte de Peutinger, seul monument ancien qui mentionne cette ville. En effet, cet itinéraire fait partir de *Noviomagus* (Pompierre), une voie qui aboutit à un petit édifice entourant une cour, signe indicateur d'eaux thermales. Au-dessus, on lit

Indesina et le chiffre XVI, marquant la distance d'un lieu à l'autre.

« Or, cet édifice ne peut désigner que Bourbonne. En effet, il est exactement figuré sur la carte comme ceux des autres localités qui possèdent aussi des eaux chaudes; on y trouve indiquée la source de la Meuse sortant, pour ainsi dire, sous les murs de l'édifice, et de fait les eaux thermales de Bourbonne sont les seules rapprochées de la source de cette rivière. Il n'existe dans le voisinage aucune voie, aucun autre nom, auxquels on puisse rattacher l'établissement d'*Indesina.* Enfin le chiffre XVI désigne parfaitement en lieues gauloises la distance de *Noviomagus* à Bourbonne. Il faut en conclure que le nom de *Borvo* n'a été ajouté à celui d'*Indesina* que pour signifier que cette ville possédait des eaux thermales. Plus tard, à la suite de circonstances qu'il serait difficile de déterminer, le nom principal fut abandonné et remplacé simplement par celui de *Borvo*, d'où sont venus plusieurs dérivés. Ces sortes de substitutions ne sont pas rares, surtout aux époques de transformations sociales telles qu'en produisit la chute de l'empire romain. »

De son côté, M. Marchal, juge de paix à Bourmont, a cherché récemment à prouver que le nom de *Indesina* revient à Bourbonne tout en attribuant à Nijon l'emplacement de la station romaine appelée *Noviomagus*. Plusieurs auteurs supposent que le nom de *Noviomagus* revient à Neufchâteau, et celui de *Indesina* ou *Andesina* à Grand.

J'emprunte à M. Jolibois une grande partie des détails qui suivent.

En 612, Thierry, roi de Bourgogne, réunit ses troupes au château de Bourbonne (vervona castrum) et marche ensuite contre Théodebert d'Austrasie, son frère. Au dixième siècle fondation du prieuré; au douzième, de l'église actuelle. Sous les Carlovingiens le fief de Bourbonne était déjà considérable et relevait du comté de Champagne.

Le premier seigneur de Bourbonne connu est Roscelin, qui vivait au commencement du douzième siècle; puis vinrent Renier I", Gui et Roïle sa femme, Foulques I"; en 1173, Geoffroy, Renier II, Henri, Renier III, Foulques II, Gui II, la dame Willaume prirent simultanément le titre de seigneurs de Bourbonne. Gui de *Trichastel*, époux de la dame Willaume, accorde en 1205 aux habitants de Bourbonne la première charte d'affranchissement, moyennant une taille fixe de vingt-cinq sous par an, trois prud'hommes faisaient la répartition; vinrent ensuite Jean, Hugues, Pierre,.

Guillaume, Gui, Perrin et enfin Jean de Trichastel. La fille de ce dernier épousa Renard de *Choiseul*, qui recueillit l'héritage de son beau-père en
1327. Renard ne laissa que des filles, l'une épousa
Guillaume de *Vergy*, seigneur de Mirebeau, et reçut en dot la seigneurie de Bourbonne. En 1338,
le roi fit présent des bains à Guillaume de Vergy,
mais ils étaient alors si peu fréquentés qu'ils ne
rapportaient au seigneur, si l'on en croit Diderot,
pas plus de six livres par an.

A la famille de Vergy succède celle de *Bauffremont*. Pendant le quinzième siècle, fondirent
à la fois sur la contrée toutes les calamités imagi-
nables. Les gens du duc de Lorraine envahirent à
différentes reprises la seigneurie de Bourbonne,
pillant et tuant tout ce qu'ils rencontraient. La
guerre contre les Armagnacs et les Bourgui-
gnons ne fit qu'accroître les dangers courus par
ce pays.

La famille de *Livron* qui succéda à celle de
Bauffremont rendit un peu de paix et de tran-
quillité aux habitants, cependant Galas et les Suédois, en 1638, rançonnèrent la ville d'une rude
façon.

En 1674, *Colbert du Terron* acheta la seigneurie
qui fut vendue en 1711 au marquis de *Maillebois;*

en 1717 eut lieu le fameux incendie qui détruisit la ville presque tout entière. *Chartraire*, président à mortier au parlement de Dijon, acheta Bourbonne en 1731 et prit le titre de marquis de Bourbonne. Le fils du marquis n'eut qu'une fille qui épousa le comte d'*Avaux* qui eut lui-même pour héritier le comte d'*Ogny*, dernier propriétaire de la terre de Bourbonne.

En 1812, Mme de Chartraire avait vendu à l'Etat les bains civils ; en 1822, le comte d'Ogny vendit la forêt du Danonce à M. du Breuil et le château à M. Lahérard. Cette dernière propriété a été léguée par M. Georges Chevandier de Valdrôme, à la ville de Bourbonne.

L'imprimeur Boudrot, Chaudron-Rousseau le conventionnel et son fils le général, le docteur Chevalier, le docteur Duport, Marie Jenna (née Céline Renard), sont nés à Bourbonne.

La famille du général Denis, comte de Damrémont, est originaire de Damrémont, commune du canton de Bourbonne.

En 1789, la paroisse de Bourbonne faisait partie du diocèse de Besançon, doyenné de Favernay ; de 1801 à 1822, elle fut comprise dans le diocèse de Dijon, elle dépend aujourd'hui de celui de Langres.

L'église de Bourbonne fut desservie, jusqu'au
commencement du xviiiᵉ siècle par un délégué du
prieur de Saint-Laurent, de l'ordre des Bénédic-
tins, placé lui-même sous la juridiction de l'arche-
vêque de Besançon. Les bâtiments de l'ancien
prieuré, fondé au xiᵉ siècle, existent encore aujour-
d'hui sur la colline située au sud de l'établissement
thermal.

Le prieur partageait les dîmes avec le seigneur,
moitié de sa portion servait à rétribuer le curé ;
mais en 1717 celui-ci devint plus exigeant, et de
nouvelles conventions durent être conclues entre
eux.

A l'extrémité N. de la ville subsistent encore
aujourd'hui des bâtiments qui servaient de maison
conventuelle, avec église, à une dizaine de religieux de l'ordre mendiant des Capucins. Les
prieurs et les capucins ont disparu à la Révolu-
tion.

Bibliographie.

Un très grand nombre d'auteurs, médecins, his-
toriens, archéologues, ingénieurs, etc., ont écrit
sur Bourbonne et ses eaux ; je vais indiquer seulement les principaux :

1570 *Hubert Jacob*. Traité des admirables vertus des eaux chaudes de Bourbonne-les-Bains en Bassigny, mises en lumière par Hubert Jacob, maître en chirurgie du lieu d'Anrosay, au voisinage de Bourbonne, dont jusqu'à présent nul n'a écrit.

1590 *Jean le Bon* (Héteropolitanus). Des bains de Bourbonne-les-Bains.

1658 *Tibault*, doyen de la Faculté de médecine de Langres. Petit traité des eaux et bains de Bourbonne.

1705 *R. P. Lempereur*. Explication d'une inscription trouvée à Bourbonne.

1716 *Gauthier*, architecte. Dissertation sur les eaux minérales de Bourbonne-les-Bains.

1717 Anonyme. Relation du grand incendie de Bourbonne.

1728 *Nicolas Juy*. Traité des propriétés et vertus des eaux, boues et bains de Bourbonne-les-Bains.

1736 *Baudry*, médecin des hôpitaux du roi. Traité des eaux minérales de Bourbonne-les-Bains.

1749 *Charles*, intendant des eaux de Bourbonne. Dissertation sur les eaux de Bourbonne.

1750 *Juvet*, médecin de l'hôpital militaire de Bourbonne. Dissertation contenant de nouvelles
observations sur la fièvre quarte et l'eau thermale de Bourbonne en Champagne.

1770 *Diderot*. Voyage à Bourbonne.

1770 *Chevalier*. Mémoires et observations sur les
effets des eaux de Bourbonne-les-Bains en
Champagne, dans les maladies hystériques et
chroniques.

1772 *Chevalier*. Mémoires et observations sur les
effets des eaux de Bourbonne en Champagne.

1783 *Devaraigne*, ingénieur. Procès-verbal des travaux entrepris par M. le comte d'Avaux
aux bains et eaux minérales de Bourbonne-
les-Bains.

1808 *Lebrun*, inspecteur des ponts et chaussées.
Mémoire concernant les eaux minérales et
thermales de Bourbonne-les-Bains.

1809 *Bosq et Bezu*. Extrait d'un mémoire sur l'analyse des eaux minérales de Bourbonne.

1810 *Mongin-Montrol*. Précis pratique sur les eaux
de Bourbonne-les-Bains.

1813 *Therrin*, chirurgien en chef de l'hôpital militaire. Notice sur les eaux minérales de Bourbonne-les-Bains.

1822 *Athénas*, pharmacien en chef de l'hôpital mi-
     litaire. Recherches et observations sur la
     composition naturelle de l'eau minérale de
     Bourbonne-les-Bains.

1822 *Petitot*, directeur de l'hôpital militaire. Notice
     sur Bourbonne-les-Bains.

1826 *Fodéré*. Mémoire sur les eaux de Bourbonne.

1826 *Renard*. Bourbonne et ses eaux thermales.

1827 *Desfosses* et *Roumier*. Analyse de l'eau ther-
     mo-minérale de Bourbonne. (Journal de
     pharmacie.)

1830 *Le Molt,* inspecteur des eaux de Bourbonne.
     Notice sur Bourbonne et ses eaux thermales.

1831 *Ballard,* médecin en chef de l'hôpital mili-
     taire. Précis sur les eaux thermales de Bour-
     bonne-les-Bains.

1833 *Berger de Xivrey*. Lettre à M. Hase sur les
     antiquités et l'histoire de Bourbonne.

1834 *Bastien* et *Chevalier*. Analyse des eaux mi-
     nérales de Bourbonne.

1835 *L. Richoux*. Souvenirs de l'établissement mi-
     litaire de Bourbonne. Vues et plans de la
     ville, lithographiés par Adam.

1843 *Athénas fils*. Guide général des baigneurs aux
     eaux minérales de Bourbonne-les-Bains.

1844 *Magnin*. Les eaux thermales de Bourbonne-les-Bains.

1858 *Henri*. Clinique de l'hôpital militaire.

1858 *Cabrol* et *Tamisier*. Eaux thermo-minérales de Bourbonne-les-Bains.

1860 *Renard fils*. Des eaux thermo-minérales, chlorurées, sodiques de Bourbonne-les-Bains.

1863 *Drouot*, ingénieur en chef des mines. Notice sur les sources thermales de Bourbonne-les-Bains.

1863 *Bougard*. Les eaux salées chaudes de Bourbonne-les-Bains.

1864 *Causard* Auguste. De la cure thermale à l'hôpital militaire de Bourbonne-les-Bains.

1866 *Causard* Auguste. De l'électricité employée concurremment avec les eaux de Bourbonne.

1866 *Bougard*. Essai de Bibliographie et d'histoire.

1869 *Roret*. Nouveau guide des baigneurs.

1870 *Causard* Auguste. Bourbonne et ses eaux minérales.

1876 *Daubrée*, inspecteur général des mines. Formation contemporaine de diverses espèces minérales dans la source thermale de Bourbonne-les-Bains.

1877 Mémoires de la Société historique et archéologique de Langres.

1877 Bourbonne, ses origines, etc., par M. A. Renard.

1877 Eglise Notre-Dame de Bourbonne, par M. Bro-
card.

1878 *Causard* Auguste, Bourbonne et ses eaux
minérales (2ᵉ édition.)

1880 *Lacordaire*. L'hôpital royal militaire de Bourbonne-les-Bains.

1880 *Daprey*. Le Baigneur à Bourbonne.

— *Magnin* Emile. Des eaux minérales de Bourbonne.

1881 *Chabouillet*. (Revue archéologique), des inscriptions provenant de Bourbonne-les-Bains.

1881 *Bougard* et *Demimuid*. Géographie du canton
de Bourbonne.

1883 *A. Lacordaire*. Les seigneurie et féaultés de
Bourbonne.

1884 *Causard* Auguste. Bourbonne et ses Eaux
minérales (3ᵉ édition.)

1887 Bourbonne, son avenir, par le Dʳ A. Causard.

1888 Bourbonne-les-Bains, 1885-1887. Souvenir d'un
Baigneur. Anonyme. *Amiral Halligon*.

1888 *Boularel*. Etude sur les Eaux de Bourbonne-
les-Bains.

CHAPITRE IV

ÉTABLISSEMENTS THERMAUX.

1° Bains civils.

Sous la domination romaine, les établissements thermaux de Bourbonne avaient sans aucun doute une grande splendeur. Au moyen-âge, s'ils n'étaient pas complètement ignorés, leur clientèle était misérable et fort restreinte. Les seigneurs firent plus tard quelques améliorations progressives, mais ils ne purent donner à leur propriété défectueuse un renom convenable.

Jean le Bon nous apprend que le bain Patrice (emplacement de l'hôpital militaire actuel) était de son temps abandonné, parce que l'eau du ruisseau y arrivait. Outre, dit-il, « y a un grand bain plus long que large, de grande largeur pour toutes gens riches et pauvres, vexez de toutes maladies et malandres : on y peut entrer près de cent personnes

indifféremment, et tous nuds comme beaux Ada-
mistes. »

En 1658, Tibault, médecin à Langres, constate
des changements dans l'agencement des bains :
« l'eau, dit-il, est receuë dans un grand réservoir
de pierre, de figure ronde et assez profond, dans
lequel on descend par trois ou quatre escaliers
tout autour en mode d'amphithéâtre, pour la plus
grande commodité des pauvres malades, soit pour
leur séance, soit pour prendre le bain plus ou
moins profond suivant les parties du corps affligées
et suivant l'avis de leurs médecins, et ce bain est
le plus fréquenté et est appelé vulgairement le
bain couvert. »

Depuis, les gens délicats se firent apporter le
bain dans les maisons où ils logeaient ; cette cou-
tume existait encore il y a cinquante ans. A l'époque
où Diderot vint à Bourbonne (1770), « on payait le
bain dix sous dans le quartier d'en bas, seize sous
dans le quartier d'en haut. »

En 1763, M. de Chartraire fit bâtir une sorte de
halle qui fut démolie par M. d'Avaux vingt ans
plus tard, on construisit alors un établissement
convenable avec les pierres de l'ancien château.
Quand l'Etat se rendit acquéreur des bains civils,
quelques maisons furent achetées et les construc-

tions primitives modifiées ; enfin, en 1837, toute la
partie sud a été démolie et refaite, on y a installé
le bain des dames et les salons.

En 1884, l'Etat mit en ferme les Etablissements
thermaux dont il est propriétaire. Bourbonne fut
concédé à M. Lepaitre, ainsi que Néris, le 27 décembre.

L'exploitation de sources thermales reconnues
d'intérêt public, par un industriel dont la manière
de voir ne concorde pas toujours avec celle du pays
où elles sont situées, parut dangereuse, même avec
un cahier des charges très spécifié à plusieurs habitants de Bourbonne, dévoués à leur ville et à son
avenir, et le 13 octobre 1885 ils se substituèrent à
M. Lepaitre, reprirent son marché avec l'Etat et
dépensèrent largement les trois cent mille francs
exigés par le traité de 1884.

La société actuelle composée d'hommes généreux,
désintéressés, fonctionne aujourd'hui dans les meilleures conditions, non pas au point de vue du lu-
cre, mais de dévouement au pays et aux étrangers
qui viennent s'y guérir.

Les bains civils sont ouverts toute l'année ; du
15 avril au 15 octobre seulement, se donnent les
grandes douches avec dix-huit mètres de pression.

L'établissement balnéaire est composé de deux

4

bâtiments principaux. Le premier, de grande et belle apparence est dit : *Bain de 1ᵉ classe*, il a été mis en service en 1883 et renferme :

Au rez-de-chaussée.

34 cabinets de bain munis de superbes baignoires en marbre blanc.

22 cabinets de douche munis de tous les appareils en usage dans les établissements du même genre.

2 étuves.

2 cabinets de douche en cercle.

2   —   de douche ascendante.

1   —   de douche vaginale, périnéale et dorsale.

Au premier étage :

20 cabinets de bain avec baignoires en cuivre.

23 cabinets de bain avec douche tivoli.

Le bâtiment des *Bains de 2ᵉ classe* est composé de deux parties symétriques, affectées l'une aux hommes, l'autre aux dames ; chacune renferme trois piscines pouvant contenir ensemble quatre-vingts personnes. Huit cabinets de bain ordinaire ou sulfureux, quatorze cabinets de douche, deux douches ascendantes.

Dans chaque service, les baigneurs sont distri-

constatant l'urgence du traitement minéral, au préfet de leur département.

Ses effets sont en général l'obtention :

1° D'une indemnité de déplacement, avec demi-place en chemin de fer ;

2° Usage gratuit des eaux ;

3° Indemnité de séjour à Bourbonne, variant de un à trois francs par jour. Les Conseils généraux votent chaque année une somme plus ou moins importante, pour l'entretien des pauvres de leur département aux eaux minérales.

Avec un certificat de médecin, les habitants de Bourbonne peuvent, sans rétribution de leur part, faire usage des eaux dans les piscines. S'ils doivent prendre des douches, le visa de la mairie établissant l'insuffisance de ressources est nécessaire.

2° Hôpital militaire.

L'hôpital militaire a été fondé en 1732, par Louis XV, sur l'emplacement du bain Patrice, que Charles IV avait acheté en 1324 à messire Renard de Choiseul. Depuis 1732 jusqu'en 1815, plusieurs bâtiments furent ajoutés aux premières constructions ; dans deux pavillons supérieure-

4.

ment aménagés, le génie a installé le logement des officiers.

A l'hôpital militaire, il existe peut-être plus de ressources pour la bonne administration des eaux, qu'à l'établissement civil. La cure y dure davantage, soixante jours, pour les plus malades cent vingt ; le système de casernement et de vie réglementaire empêche les excès de toute sorte ; les soins médicaux y sont de tous les instants ; on y applique avec discernement l'électricité, l'usage méthodique des eaux de Vittel et de Contrexéville n'est pas non plus indifférent. La pharmacie livre chaque jour à la consommation une grande quantité d'eau de Seltz, fort utile contre les embarras gastriques, fréquents à la suite de l'usage interne de l'eau minérale. Une bibliothèque assez bien organisée, ainsi que des jeux de quilles, et une sorte de gymnase, sont mis à la disposition des militaires.

L'hôpital est ouvert du quinze mai au quinze septembre ; on y reçoit en moyenne, chaque année, de huit cents à mille officiers, sous-officiers et soldats.

La surveillance générale est exercée par le sous-intendant militaire de Langres, dont la résidence est fixée à Bourbonne pendant la saison des eaux.

Le service médical est confié à un médecin principal, trois médecins-majors, quatre aides-majors
et un pharmacien-major.

La comptabilité et le matériel dépendent d'un
officier comptable, ayant sous ses ordres quatre
adjudants de l'administration des hôpitaux.

Le service du culte est fait chaque jour par un
aumônier attaché à l'établissement. Enfin, cent infirmiers détachés de Besançon, donnent aux malades tous les soins convenables.

Il y a vingt ans, l'hôpital militaire requérait deux
médecins civils, qui chaque saison faisaient, sous
la direction du médecin en chef, un service qui
n'était pas sans avantage. Ces jeunes gens con-
servaient la tradition du passé, servaient de trait
d'union entre les éléments civil et militaire; ils
préparaient leur pratique future, dans un milieu
excellent. — Mince détail, ils ne coûtaient pas cher.
— Il a plu à un officier quinteux de faire cesser
des rapports agréables pour tout le monde. J'en ai
profité, et je suis heureux de dire que mes années
de début, si maigres d'habitude, ont été admirablement remplies grâce à l'hôpital militaire. Je
souhaite que cette porte soit bientôt réouverte à
mes jeunes confrères civils, qui y trouveront un
champ d'expérience considérable et des relations
parfaites.

Les bains sont reconstruits à l'hôpital militaire ;
le bâtiment affecté aux officiers est symétrique à
celui qui est destiné aux sous-officiers et soldats ;
ils sont dans des proportions semblables, le tout
est parfait.

Le pavillon des officiers renferme :

1° Deux grandes salles où sont installés les appareils électriques ;

2° Quatre cabinets de bain,
   Deux cabinets de bain avec douche tivoli,
   Une salle avec grande douche, et appareils
   hydrothérapiques ;

   (*Pour les officiers supérieurs.*)

3° Deux grandes salles de bain cloisonnées en
   douze cabinets de bain chacune,
   Deux douches tivoli,
   Deux douches ordinaires,
   Quatre cabinets de grande douche avec appa-
   reils hydrothérapiques ;

   (*Pour les officiers subalternes.*)

4° Entre les deux services :
   Une douche ascendante,
   Un bain de siège avec douches périnéale, lom-
   baire et dorsale.

Le pavillon des sous-officiers et soldats renferme :

1° Douze baignoires dans une salle,
Un cabinet de grande douche,
Un cabinet de douche ordinaire ;
(*Pour les sous-officiers.*)

2° Douze baignoires dans une salle avec les mêmes douches que précédemment ;
(*Pour les soldats infirmes.*)

3° Une grande piscine ovale en pierre de Grenant ayant dix mètres de long sur sept de large et contenant cinquante-deux mètres cubes d'eau, pouvant contenir cinquante-deux hommes,
Six grandes douches,
Deux douches ordinaires,
Une douche ascendante,
Un bain de siège avec les accessoires,
Deux douches tivoli.
(*Pour les soldats.*)

Sources thermales.

Avant 1856, époque à laquelle M. Drouot, ingénieur en chef des mines, fut chargé de travaux de sondages importants, il existait à Bourbonne quatre sources d'eaux minérales, deux pour le service de chaque établissement. Les sources des bains civils étaient :

1° Le puisard, dans le bâtiment même des bains.

2° La fontaine chaude on matrelle sur la place.

Le puisard composé de deux parties superposées et bien distinctes. L'inférieure de construction Romaine en mauvais état, à parois disjointes laissant sourdre de tous côtés l'eau minérale, de forme rectangulaire, ses dimensions étaient : longueur 3ᵐ 60, largeur 2ᵐ 40, profondeur 3ᵐ 90. La partie supérieure construite en 1773 par M. d'Avaux avait pour dimensions : longueur 4ᵐ, largeur 3ᵐ 40, profondeur 2ᵐ 60.

La fontaine chaude était située sur la place dans l'intérieur d'un petit bâtiment en forme de temple, aujourd'hui détruit, elle fournissait seulement l'eau employée en boisson. Son rendement étant devenu tout à fait insignifiant, elle fut sondée en 1865 avec un succès remarquable, le produit de cette source est maintenant utilisé à l'hôpital.

Les deux sources de l'hôpital militaire étaient :

1° La source des étuves, ainsi nommée parce que les cabinets de bains de vapeur sont construits sur son emplacement.

2° La source de la cour de la caserne.

Ces deux sources débouchent dans un puisard d'une contenance de 48^m cubes et sur lequel est établie la machine d'élévation des eaux.

M. Drouot en 1857 entreprit six essais de sondage qui ne furent que des travaux d'exploration, quelques-uns donnèrent cependant de l'eau minérale, ils furent néanmoins abandonnés.

Le premier sondage porte le n° 7 et fut exécuté en 1858 dans la cour de la caserne; la nappe fut atteinte à la profondeur de 27^{m}90, mais l'eau ne jaillit pas, elle resta toujours à 3 ou 4^m en contrebas du niveau du sol.

Le sondage n° 8 entrepris à la même époque à dix mètres de distance du n° 7, fut poussé jusqu'à 42^m de profondeur, il fournit d'abord 43^m cubes d'eau environ par vingt-quatre heures, à la température de 55°. Cette source dont le rendement a beaucoup diminué, se déverse dans le puisard militaire.

Le sondage n° 9 fut exécuté en 1860 sur la place des bains. A la profondeur de 34^m, l'eau jaillit en quantité énorme, 172^m cubes par vingt-quatre heures, à la température de 50°. Cette source ainsi que les suivantes fut dirigée dans le puisard civil.

Le sondage d'exploration n° 1 dans le jardin des bains fut repris en 1859 ; à 31^{m}50 de profondeur il produisit 144^m cubes d'eau par vingt-quatre heures, à la température de 64°. Ce sondage diminua sensiblement le débit et la thermalité des autres sources.

Le sondage n° 10 dans la cour de service des bains civils commencé en 1861 et terminé en 1862 constitue de beaucoup la principale source minérale de Bourbonne, il fournit à la profondeur de 44^m 60, 288^m cubes d'eau en vingt-quatre heures, il est tubé en cuivre rouge.

Le sondage n° 11 à l'O. de la place des bains a donné tout d'abord une certaine quantité d'eau, mais son rendement a considérablement baissé depuis le sondage n° 12.

Le sondage n° 12 ou de la matrelle a été fait en 1865 sur l'emplacement du temple dont j'ai déjà parlé.

L'hôpital militaire qui bénéficie de cette source, peut suffire, grâce à elle, à toutes les exigences du service sous le rapport de la quantité et de la thermalité des eaux.

L'eau minérale est tout juste suffisante pour les besoins actuels, dès maintenant on doit songer à augmenter le rendement des sources.

Trois moyens se présentent pour arriver à ce but :

1° Faire des sondages, mais le résultat est très problématique, à l'exception des deux sondages à opérer sur les sources militaires. Les produits nouveaux ont toujours fait baisser les anciens.

2° Trouver la faille où s'engouffre la source froide qui, descendue à deux ou trois kilomètres dans les profondeurs de la terre, remonte chaude, et y déverser des sources de renfort. Ce moyen ne paraît pas prêt d'être exécuté.

3° Faire des citernes comme à Vichy et y accumuler l'eau de la morte saison ; c'est le seul pratique et que j'ai indiqué le premier.

PÉRIMÈTRE DE PROTECTION

Le périmètre de protection des sources, tracé en 1859, est destiné à empêcher la concurrence que les propriétaires du sol voisin des établissements thermaux auraient pu faire à l'Etat en forant des sources et les exploitant à leur gré.

Le périmètre de protection comprend environ vingt et un hectares ; sa plus grande longueur de l'est à l'ouest dans la vallée de Borne est de 820 mètres, sa plus grande largeur du nord au sud de 280 mètres.

Le 27 novembre 1890, le Préfet de la Haute-Marne, sur la proposition du comité consultatif d'hygiène publique de France, vu l'avis conforme du Ministre du Commerce, a procédé à une enquête pour l'extension du périmètre de protection des sources :

Au nord, jusqu'à la borne kilométrique n° 40 du chemin de Serqueux, c'est-à-dire au niveau de la ferme du *Haut-Pont.*

A l'est, à la borne kilométrique n° 50, placée sur la route départementale n° 1, de Chaumont à Fresnes-sur-Apance.

Au sud-est, au moulin à tan, situé commune de Villars.

Au sud, à l'angle S. E. du champ de foire et à la maison Pelletier, rue de Coiffy.

En tout 202 hectares.

Dans ces conditions, de nombreuses servitudes seront imposées à un grand nombre d'habitants de Bourbonne.

Plan d'ensemble des Thermes Civils & Militaires
de BOURBONNE

Echelle de ½ mill. pour mètre.

o Sondages

Chavanne

de la

Ruelle

BASSINS MILITAIRES

N° 5 O

BASSINS CIVILS

Bassin pour les douches faibles

Galerie pour les tubes d'ascension et de descente des eaux thermales militaires

JARDIN DES BAINS CIVILS

O N° 2 N° 4 O

O N° 3

O N° 1

Galerie pour les tubes d'ascension R.le de descente des eaux thermales civils

Buanderie et Lavoir

Ruelle

BAINS DE 1re CLASSE

Ruelle

N° 6 O
N° 10 O

Machine d'ascension

Puisard civil

BAINS CIVILS

Rue du Patis

Canal de décharge de toutes les eaux thermales

N° 9 O

Fontaine publique

□ N° 11

Rue de l'Hôpital

PLACE DES BAINS

Bache de Distribution

BAINS MILITAIRES

N° 10 O
□ N° 8

Puisard militaire

Pavillon d'Officiers

O N° 12

HÔPITAL MILITAIRE

Rue des Bains

Ruelle d'Orfeuil

Ruisseau de Berne

NORD MAGNÉTIQUE

Lith. Cavaniol.

DEUXIÈME PARTIE

PROPRIÉTÉS PHYSIQUES, PHYSIOLOGIQUES ET THÉRAPEUTIQUES DES EAUX

CHAPITRE PREMIER

PROPRIÉTÉS PHYSIQUES DES EAUX

L'eau minérale de Bourbonne est incolore, inodore quand elle est refroidie; chaude elle dégage une odeur légèrement fade de vapeur d'eau condensée. Au goût elle est amère et rappelle, comme on l'a dit cent fois, le bouillon de veau trop salé. Chaude, elle n'est nullement désagréable à boire ; tiède ou froide, on s'y fait vite. L'eau thermale est parfaitement limpide. Onctueuse au toucher d'abord, elle laisse ensuite une sensation fugace de sécheresse à la peau. Elle attaque à la longue les

corps les plus durs tels que les métaux et la pierre.
Froide elle ne dissout pas le savon.

Abandonnée à elle-même, elle ne forme pas de
dépôt, il se produit seulement à sa surface une
sorte de matière organisée glaireuse à laquelle on
a donné le nom de barégine, substance produite
par des végétaux de l'ordre des *Phycées*. Les bassins sont tapissés par un autre végétal appartenant
à la tribu des *Confervacées*.

La densité de l'eau minérale est de 1006 à 17°

Thermalité.

Température et rendement des sources au 25 septembre 1883.

SOURCES	RENDEMENT	température	
1	24^{mc} 338	55° 1/2	
8	41 638	39	Hôpital.
9	18 382	38	id.
10	101 727	65	
11	26 181	59	
12	65 200	65	Buvette.
13	119 172	65 1/2	Puisard romain.
Romaines {	9 »		
	18 200	61 1/2	
TOTAL...	426^{mc} 838		

Comme je l'avais constaté en 1869 et en 1878, la température des sources principales est de 65°, mais le rendement a baissé; de 538 mètres cubes, il est descendu à 426.

Il est certain qu'en prenant directement l'eau aux sondages on obtiendrait 2 ou 300ᵐ cubes d'eau et 2 ou 3 degrés de chaleur de plus ; on risquerait par exemple d'avoir de l'eau trouble.

Depuis vingt ans, comme je l'ai déjà dit dans le chapitre précédent, l'aménagement des eaux a complètement changé dans les deux établissements thermaux, grâce aux sondages exécutés, et qui ont produit, outre une quantité énorme d'eau, un excédant de calorique d'environ six degrés.

Diderot, dans son voyage à Bourbonne, a constaté en 1770 que l'eau de la Fontaine chaude accusait à la surface une température de 55° Réaumur correspondant à 69° centigrades et au fond 62° R. équivalant à 77° 50 c. Plusieurs auteurs pensent qu'il y a eu erreur d'observation.

M. Athénas, en 1822, indiquait pour le puisard civil une température de 57° 50 centigrades, pour la Fontaine chaude 58° 75 et le puisard militaire 50°.

Les bassins destinés à contenir l'eau des diver-

ses sources minérales, étant mal établis, recevaient de l'eau commune plus ou moins abondante, suivant l'état d'humidité du sol environnant.
Ainsi le 26 décembre 1858 l'eau de la Fontaine
chaude était de 52°; le lendemain 27, sprès une
forte pluie, elle ne marquait plus que 49° 50. (Observations de M. Tamisier.) On a remédié à cet inconvénient grave et la minéralisation est devenue
parfaitement régulière, on a combattu facilement
l'excès de chaleur en construisant de vastes réservoirs de refroidissement.

« Ce seroit vouloir renfermer l'Océan dans une
coquille, que d'entreprendre d'expliquer en un seul
chapitre les divers sentiments des autheurs anciens et modernes qui ont escrit de la source et
origine première des Eaux et Fontaines chaudes
(Tibault). » Tout le monde sait aujourd'hui que
l'accroissement de la température est dans les
mines de un degré par 31 mètres de profondeur,
la température moyenne de la surface de la terre
étant à Bourbonne de 12°, si les eaux thermales
ont 66° on aura la profondeur à laquelle s'étale la
nappe d'où elles émergent, en multipliant 66°
moins 12, par 31, soit 1674 mètres. Mais l'eau se
refroidit en route comme le fait observer M. Drouot,
elle vient donc de plus bas, dix-huit cents mètres, à

peu de chose près, en ne tenant pas compte de l'augmentation plus rapide de la température à de grandes profondeurs, et qui serait de un degré pour vingt-sept mètres à neuf cents mètres, suivant M. Walferdin.

La température des eaux minérales est la conséquence naturelle de la chaleur centrale du globe ; elle est d'autant plus élevée que la nappe est plus profonde.

La chaleur des eaux minérales est particulière, elle jouit de qualités spéciales. Une eau naturellement chaude, quand elle a été transportée au loin, n'a plus les mêmes chances thérapeutiques, lors même qu'elle a été artificiellement remontée à son degré d'origine ; aussi les eaux chaudes sont utilisées seulement sur place et c'est avec raison que leur transport a été abandonné. Les auteurs qui ont affirmé que l'eau minérale se refroidissait moins vite que l'eau commune se sont trompés, j'ai fait à cette occasion plusieurs expériences concluantes.

Quant à la salure, on peut l'expliquer de deux façons. Ou la nappe est placée sur d'immenses gisements de sel gemme, je dis immenses, car le degré de minéralisation n'a pas baissé avec les siècles ; ou cette nappe est le produit du lessivage

de terrains comprenant des mines de sel. Que la
salure vienne d'en haut ou d'en bas, il importe
peu.

Laplace a établi, en 1820, que si les eaux chaudes
arrivaient au niveau du sol, c'est que plus légères,
elles étaient chassées du bassin central par les
eaux froides venues du dehors. Je crois, pour mon
compte, que la présence de vapeurs comprimées à
un grand nombre d'atmosphères dans l'espace qui
sépare la surface du lac intérieur de sa voûte solide explique suffisamment le jaillissement des
sources minérales en un point déclive.

Depuis longtemps on a remarqué que les eaux
thermales abondent dans les pays volcaniques ou
secoués par les tremblements de terre, Pyrénées,
Auvergne, etc. En 1861, à Bourbonne comme d'un
centre se produisirent des mouvements très-accu-
sés du sol et rayonnant à vingt kilomètres en
moyenne. La secousse du 12 avril, à trois heures
dix minutes du matin, a été ressentie vivement par
tous les habitants de la localité, surtout par ceux
du quartier bas ; elle était accompagnée d'un rou-
lement sourd et d'une forte détonation à l'ouest.
M. Délaissement, garde-mines, qui s'était rendu
immédiatement aux sources, put constater une
augmentation de produit d'environ 1/10, mais pas

de notable différence de température. Les craintes
de M. Délaissement n'étaient pas chimériques,
car après un tremblement de terre, en 1616, les
eaux de Bagnères de Bigorre devinrent beaucoup
plus froides, tandis que celles de Luchon acqué-
raient au contraire une température plus élevée.
On comprend que dans des cataclysmes semblables l'existence même des sources est en jeu.

En même temps que le garde-mines s'occupait
des eaux minérales, mon excellent parent le docteur Causard-Foissey observait de son côté une
déviation énorme de l'aiguille aimantée vers l'est,
sa boussole affolée n'était plus influencée par le
voisinage du fer. Les 14, 16 et surtout 20 avril suivants, de nouvelles secousses se firent sentir. Du
26 mars 1861 au 25 mai, MM. Cabrol et Tamisier
en ont relevé cinquante-cinq, fortes ou faibles.
M. Walferdin pense qu'il y a eu avant 1861 de
fréquents tremblements de terre localisés à Bourbonne; Ballard cite entre autres secousses, celle
du 10 août 1829 : si toutes ne sont pas connues,
c'est qu'il n'y a pas eu d'observateur pour les an-
noncer. Le 8 octobre 1877 à cinq heures vingt du
matin, je fus éveillé ainsi qu'un grand nombre
d'habitants des rues des Capucins, Porte-Galon,
des Bains, par une forte secousse ayant produit le

5.

grelottement des menus objets tels que flambeaux, verres, etc.

Ce tremblement de terre observé sur plusieurs points de la France était comme ici dans la direction du méridien magnétique N. N. O. au S. S. E.

Bourbonne d'autre part a été agité à diverses époques, notamment en 1855, par des tremblements de terre, dont l'origine était éloignée.

Analyses.

L'eau de Bourbonne donne avec le papier de tournesol une forte réaction alcaline. Jean le Bon et Juvet la croyaient sulfureuse et bitumineuse avec des sels volatils et esprits.

Tibault était mieux inspiré en écrivant : « L'eau évaporée par ébullition laisse au fond du vaisseau un sel blanc pur et net, en une quantité suffisante et proportionnée à celle de l'eau consumée. Ce qui fait conjecturer que ce minéral est l'ingrédient principal, du moins plus copieux, qui entre en la composition de ces eaux. »

Venel, collaborateur de Diderot à l'encyclopédie, Monnet, le Dr Chevalier, Devaraigne, capitaine ingénieur, ont fait à la fin du dix-huitième siècle des analyses qui se ressemblent beaucoup par les résultats. Voici celle de Devaraigne, pour un litre d'eau :

Sel marin........ 63 grains
Sélénite........:.. 4
Terre absorbante 2
Fer .... traces

En 1808, Bosq et Bezu entreprirent la première sérieuse analyse de l'eau de Bourbonne, avec des moyens nouveaux d'expérimentation. Ils obtinrent pour une livre d'eau :

Muriate de chaux.....	8 grains	76	centièmes
Muriate de soude.....	50 —	80	—
Carbonate de chaux...	1 —	»	—
Sulfate de chaux......	8 —	88	—
Substance extractive..	» —	50	—
Total	69 grains	94	centièmes

En 1822, Athénas, pharmacien major à l'hôpital militaire ; en 1827, Desfosses et Roumier ; en 1834, MM. Bastien et Chevallier ; en 1848, MM. L. Figuier et Mialhe publièrent de nouvelles analyses.

MM. Chevallier et Gobley découvrirent l'arsenic

en 1848; M. Garreau l'iode en 1853; M. Grandeau
le cœsium, le rubidium, le lithium et le strontium
en 1861, au moyen de l'analyse spectrale.

Tout récemment, un chimiste a signalé le fluor à
Bourbonne et à Balaruc.

L'analyse des eaux de Bourbonne a été faite avec
un grand soin par M. Pressoir, pharmacien major
à l'hôpital militaire, en 1860.

La voiçi pour un litre d'eau :

Chlorure de sodium.......	5 gr.	800 milligr.
Chlorure de magnesium...	»	400
Carbonate de chaux.......	»	100
Sulfate de chaux..........	»	880
Sulfate de potasse........	»	130
Bromure de sodium........	»	65
Silicate de soude..........	»	120
Alumine...................	»	130
Iode......................	traces	»
Arsenic...................	—	»
Peroxide de fer...........	—	3
Oxide mangano manganiqᵉ.	—	2
Total............	7 gr.	630 milligr.

Je dois à l'obligeance de M. Zeller, pharmacien-major à l'hôpital militaire en 1877, la note et le tableau qui suivent :

« Les six sondages actuellement en exploitation à Bourbonne-les-Bains donnent 485 mètres cubes en vingt-quatre heures. Le rendement de chaque sondage a été pris le 11 mai par M. Preschey, garde-mines.

« Le rendement, la température et la proportion des sels fixes par litre diffèrent dans chacun de ces sondages. Toute leur eau, au moyen de tuyaux placés dans de vastes galeries, se rend dans une bâche de distribution commune où elle se mélange et se divise proportionnellement entre le puisard militaire et le puisard civil.

« Les quelques dosages que je donne dans le tableau suivant, comparés aux résultats obtenus par M. Pressoir en 1860, démontrent que l'eau de Bourbonne contient à peu près la même quantité de sels fixes par litre, mais qu'elle a diminué en chlorures et augmenté en sulfates et en sels calcaires. Le puisard militaire contient environ 4 0/0 d'eau d'infiltration.

ZELLER.

Bourbonne-les-Bains, 25 août 1877.

DÉNOMINATION des sources.	Nature du tubage.	Pro-fon-deur.	Rendement en 24 heures.	Tem-péra-ture.	Résidu fixe par litre des-séché à 120°.	chlore.	acide sulfuri-que.	chaux.
					DOSAGE PAR LITRE			
Sondage n° 8..	Bois ...	42m26	72m »	41°8	6gr 92	»	»	»
Sondage n° 9..	Bois ...	36 01	30 857	46 5	7 34	»	»	»
Sondage n° 10,	Cuivre..	45 60	123 428	66 »	7 65	3 600	» 789	» 694
Sondage n° 11..	Bois ...	46 49	44 142	59 1	7 45	»	»	»
Sondage n° 12..	Bois ...	51 »	57 600	65 2	7 73	»	»	»
Sondage n° 13.. (Puisard romain.)	Cuivre..	45 45	157 »	65 »	7 80	»	»	»
TOTAL DU RENDEMENT			485m 027					
Bâche de distribution. — Capacité 1/2mc....				62°»	75s 60	3 510	»	»
Puisard militaire ..... — Capacité 150mc....				54 »	7 30	3 430	» 727	» 666
Puisard civil......... — Capacité 200mc. ...				61 »	» »	» »	»	»

OBSERVATIONS. — Les températures des différents sondages ont été prises le 24 juillet 1877, entre deux et trois heures de l'après-midi.

Le recueil des travaux du *Comité consultatif* d'hygiène publique de France, tome X (1881) renferme un travail de M. E. Jacquot concernant les eaux minérales de Luxeuil, Plombières, Bourbonne et l'analyse des eaux de Bourbonne faite par M. Willm dans le laboratoire et sous la direction de M. Würtz. M. Willm constate que le chlore diminue et que l'acide sulfurique augmente, résultats déjà indiqués par M. Zeller.

Voici les analyses de M. Willm.

SONDAGE n° 10.

TEMPÉRATURE : 65°.

	GRAMMES.
Acide carbonique combiné................	0,0705
— libre.................	0,0263
Silice...........................	0,0748
Carbonate de Calcium	0,0743
— de Magnesium	0,0032
— Ferreux et Manganeux.........	0,0023
Fluorure de Calcium...................	Traces
Sulfate de Calcium	1,3980
Chlorure de Calcium	0,0785
— de Magnesium	0,0538
— de Lithium	0,0887
— de Sodium.	5,2020
— de Potassium...............	
— de Rubidium et Cœsium	0,1992
Bromure de Sodium....................	0,0644
Iode, Arsenic et Ammoniaque............	Traces
TOTAL.......	7,3358

NUMEROS DES SONDAGES	1	10	12	13	8	9
	grammes.	grammes.	grammes.	grammes.	grammes.	grammes.
ACIDE CARBONIQUE TOTAL	0.0520	0.0966	0 0793	0.0823	»	0.0937
Silice	0.0720	0.0748	0 0690	0.0604	0.0670	0.0780
Acide carbonique (C o²)	0.0285	0.0469	0.0443	0.0476	0.0420	0.0653
Calcium	0.0190	0.0297	0.0278	0.0300	0.0266	0.0410
Magnésium	traces	0.0009	0.0009	0.0010	0.0008	0.0015
Oxydes de fer et de manganèse	0.0010	0.0016	0.0019	0.0026	0.0073	0.0024
Fluorure de calcium	traces	traces	traces	traces	traces	traces
Acide sulfurique	0.9776	0.9868	0.9783	0.9565	1.2912	1.4642
Chlore	3.4061	3.4065	3.4308	3.4392	2.9347	2.7838
Brôme	0.0518	0.0500	0.0521	0.0521	0.0510	0.0505
Calcium	0.4657	0.4528	0.4463	0.4468	0.4426	0.4485
Magnésium	0.0178	0.0136	0.0134	0.0122	0.0201	0.0232
Sodium	2.0286	2.0510	2.0123	2.0607	1.8873	1 8531
Lithium	0.0131	0.0146	0.0137	0.0137	0.0131	0.0138
Potassium avec C s et R. b	0.0869	0.1075	0.1026	0.1036	0.1006	0.1156
Ammoniaque	traces	traces	traces	traces	traces	traces
Iode	traces	très faibles	faibles	»	0.0050	0.0042
Arsenic	traces	traces	traces	traces	traces	traces
Cuivre (oxyde)	traces	traces	traces	traces	traces	traces
TOTAL	7 1681	7.2367	7.2242	7.2253	6.8893	6.9451
POIDS DU RÉSIDU	7.1890	7.2368	7.2084	7.2180	6.8722	6.9032

L'analyse des boues minérales a été faite par
Vauquelin. Voici leur composition d'après ce chimiste :

Acide silicique............	64	40
Fer oxidé............ ...	5	80
Chaux..................	6	20
Magnésie..............	1	»
Alumine..............	2	20
Matière végétale....... ⎰	15	40
— animale....... ⎱		
Perte..................	5	»
	100	»

L'analyse des conferves a été faite par M. Bompard, celle des gaz par M. Tamisier, qui a trouvé
pour cent parties :

Oxygène........	2
Azote...........	92
Acide carbonique.	6
	100

CHAPITRE II

PROPRIÉTÉS PHYSIOLOGIQUES
ET THÉRAPEUTIQUES DES EAUX

Toniques reconstituantes, les eaux minérales de
Bourbonne fortifient les organes en réveillant la
sensibilité nerveuse et stimulant la fibre musculaire; *excitantes générales* elles accélèrent les fonctions ; *altérantes* elles fluidifient le sang et empêchent la stase sanguine en activant la circulation
capillaire ; *équilibrantes* elles rétablissent le fonctionnement normal des appareils, en déchargeant
ceux qui sont engoués ou hypérémiés, en donnant
par contre-coup une activité plus grande à ceux
dont l'action est insuffisante par défaut de capacité
d'organe ou par défaut de stimulation fonctionnelle ; aussi les anciens auteurs les qualifiaient
de fondantes et désobstruantes. Elles n'ont pas de
rivales contre les maladies chroniques dont la

cause ou le résultat est un affaiblissement général de la constitution. Le médecin voit l'accident et doit considérer le terrain sur lequel il est greffé.

L'application des eaux de Bourbonné est dirigée principalement contre le retour des manifestations spéciales aux maladies diathésiques ; elles préviennent, grâce à leur action reconstituante, le retour de nouveaux accès qui, retentissant euxmêmes sur la constitution, établissent à la longue un droit de cité indestructible de l'affection initiale.

Je considérerai dans l'étude que je vais faire des propriétés physiologiques de l'eau minérale : 1° L'eau elle-même. 2° Sa température. 3° Ses principes chimiques. 4° L'action électrique qu'elle détermine spontanément. 5° L'application particulière. 6° Les précautions hygiéniques indispensables au baigneur. Chemin faisant, je m'occuperai des effets produits par le traitement thermal sur le tégument externe, les systèmes nerveux, circulatoire, digestif, respiratoire et les organes génitourinaires.

L'eau prise à l'intérieur active les excrétions et les exhalations, elle change la composition des fluides, facilite la désassimilation et la rénovation des tissus en augmentant l'absorption interstitielle.

Son usage externe débarrasse la peau des produits excrémentiels journaliers, ramollit l'épiderme et prépare sa perpétuelle reconstitution. Personne n'ignore aujourd'hui que plusieurs maladies graves telles que le cancer et autres tumeurs malignes doivent être en grande partie attribuées à un fonctionnement insuffisant de la peau. Des bains fréquents entravent quelquefois le dépôt au sein de l'économie de tissus étrangers analogues à la substance épidermique. La peau *respire* mieux quand elle est souvent en contact avec l'eau, la matière sébacée rend difficile cette fonction importante, tellement importante que les animaux dont l'épiderme est enduit d'un vernis meurent rapidement. Je pourrais citer outre le cancer un grand nombre de maladies aiguës ou chroniques qui sont causées ou entretenues par un défaut de fonctionnement de la peau. Il en est peu de celles qui affectent les organes essentiels à la vie, qui ne s'améliorent sous l'influence d'une vive révulsion extérieure.

Les bains tièdes ou tempérés sont sédatifs ; ils calment et régularisent les fonctions en diminuant la fréquence du pouls. Les bains chauds congestionnent la peau, activent ses fonctions secrétoires ; prolongés ils deviennent débilitants et peuvent faire naître par une excitation véritable de la circulation les deux accidents connus sous les noms de fièvre thermale et de poussée. La minéralisation considérable de nos eaux aide singulièrement la thermalité dans la production de ces deux légères indispositions.

FIÈVRE THERMALE

Elle est caractérisée par un malaise physique et moral, rarement assez considérable pour arrêter complètement la cure, mais suffisant pour appeler l'attention du médecin. Le début a lieu le plus souvent entre le sixième et le neuvième bain, il se manifeste par de la courbature et un sentiment de fatigue et de lassitude, un peu de céphalalgie ; la chaleur est plus grande à la peau et le pouls s'accélère ; quelquefois il se produit en même temps de l'insomnie et de l'agitation. La langue est ordinairement blanche ; il existe peu ou pas d'appétit, quelquefois une légère diarrhée, plus souvent de la constipation et une soif assez vive. Tous ces accidents se font en général si peu sentir qu'ils passeraient inaperçus si l'attention du médecin n'était en éveil ; ils sont surtout fréquents dans les étés chauds. La fièvre dure quatre ou cinq jours, puis ne s'observe plus que le soir, elle disparaît enfin définitivement, comme elle est venue, sans trouble grave.

Le pronostic est favorable. Je n'hésite pas à écrire ce mot favorable. Jadis on réglementait moins l'application des eaux, leur usage était fait à tort et à travers, on voyait vraisemblablement de magnifiques fièvres thermales ; quelques-uns payaient les imprudences de tous, mais aussi les guérisons devaient être plus fréquentes qu'aujourd'hui. J'ai remarqué que les personnes atteintes de fièvre thermale, fait rare, et de poussée, fait assez fréquent, celles qui par conséquent avaient abusé des eaux, obtenaient une amélioration plus prononcée que les autres. Je suis heureux de dire que l'approbation de M. de Finance donne une autorité incontestable à cette manière de voir.

La fièvre thermale et la poussée sont des stimulations artificielles qui peuvent réveiller l'état aigu, mais dans les maladies chroniques il est utile quelquefois de combattre à visage découvert un ennemi caché, dont l'action souterraine se manifeste trop souvent quand tout est compromis, sinon perdu. Ceci dit, ajoutons que le médecin désireux

de tirer le meilleur parti des eaux minérales, non-
seulement n'est pas dispensé de prudence, mais
est condamné au contraire à une observation attentive et doit posséder un grand tact médical, car
sa responsabilité est autrement engagée que celle
de son confrère dont le rôle se borne à faire sans
gloire, il est vrai, mais sans ennui, la médecine
des symptômes, qui ne sauve peut-être pas grand
monde, mais au moins ne tue personne.

Le traitement de la fièvre thermale est à peu
près nul. Il suffit de diminuer la durée du bain et
sa température, de supprimer l'eau minérale à
l'intérieur pour voir disparaître bien vite le léger
accident qui nous occupe. L'eau de seltz, la limo-
nade pourront avec un léger laxatif être utilement
employés.

POUSSÉE.

La poussée se traduit par un exanthème qui
apparaît seul ou en compagnie de la fièvre thermale. Cette éruption cutanée ressemble beaucoup
à celle que produit l'application d'un sinapisme.
Rarement générale, cette rougeur se manifeste
surtout aux endroits où la peau est mince, au voisinage des articulations et à la partie interne des

membres ; elle arrive le plus souvent chez les personnes qui transpirent facilement et qui abusent
de la température et de la durée du bain ; elle est,
suivant quelques auteurs, produite par l'irritation
que cause le sel à la base des poils.

Je dirai bien plus encore pour la poussée ce que
j'ai dit pour la fièvre thermale, c'est un symptôme
favorable, preuve manifeste non pas d'une sursa-
turation mais bien d'une dépuration profonde subie
par l'organisme. On doit favoriser la poussée et
diriger judicieusement sa marche.

L'eau minérale à l'intérieur occasionne souvent
un embarras gastrique léger qu'il ne faut pas confondre avec la fièvre thermale ; ces deux indispositions se ressemblent beaucoup ; du reste, elles
comportent à peu près le même traitement.

Quand j'aurai cité l'ivresse thermale, j'en aurai
fini avec les accidents concomitants de l'usage
immodéré de nos eaux. Comme la fièvre, la poussée et l'embarras gastrique, l'ivresse thermale est
commune chez les malades désireux de guérir
vite ; le nom qu'on lui a donné indique assez bien
la forme qu'elle revêt. Quand elle se produit désagréablement, on doit espacer suffisamment ces
trois moyens fondamentaux du traitement : bain,
douche, boisson.

J'ai dit que les eaux de Bourbonne excitaient singulièrement les fonctions de la peau, qu'elles activaient la circulation grâce à leur thermalité et à leur composition chimique. Je me propose d'étudier maintenant les effets qui semblent être la conséquence de la minéralisation même.

Le médecin ou le malade qui préjugerait uniquement l'action d'une eau minérale d'après sa composition chimique se tromperait étrangement. Il faut en effet tenir compte de la pratique et de la tradition. Comme toutes les médications connues, les eaux sont d'un usage sinon empirique au moins expérimental.

Il a fallu de longs tâtonnements pour arriver à la spécialisation actuelle, et malgré les analyses récentes les plus exactes, la clientèle des stations n'a pas sensiblement changé. Ce qui prouve encore que les éléments chimiques ne sont pas tout dans une eau minérale, c'est l'inanité des eaux artificielles. Leur rôle est important néanmoins, grâce à l'état de combinaison particulière où ils se trouvent ; ils peuvent même rendre compte en partie des trois effets capitaux observés à Bourbonne ; j'ai dit en commençant que nos eaux étaient toniques reconstituantes, excitantes générales et altérantes.

6

Parmi les éléments que l'analyse a reconnus
dans les eaux de Bourbonne, le *chlorure de sodium*
tient de beaucoup la première place. Tous les tissus, tous les liquides de l'économie contiennent
du sel ; comme l'eau, il est une condition d'existence ; son usage, même exagéré, ne trouble pas
sensiblement la santé générale, mais augmente
l'appétit, active et facilite la digestion, procure par
conséquent au corps une plus grande somme de
nutriments, tellement que, pour le bétail, trois
kilogrammes de foin assaisonnés de sel marin,
nourrissent autant que quatre kilogrammes du
même fourrage sans addition de sel. Par la même
raison le sel est engraissant, il donne aux muscles
plus de fermeté, à la graisse plus de densité et de
finesse.

A la dose de dix grammes, le sel excite la mu-
queuse intestinale et produit les phénomènes que
je viens d'énumérer ; à la dose de vingt et trente
grammes, il détermine une sécrétion abondante de
sérosité, de mucus, de bile et de fréquentes garde-
robes. Le sel est antiphlogistique, c'est un excellent contro-stimulant, avec l'aide duquel on peut
combattre efficacement toutes les inflammations
chroniques et les congestions habituelles des organes.

Le sel est fluidifiant du sang, il l'est même quelquefois trop, puisque l'abus des viandes salées
engendre le scorbut. Le sang chez les hémiplégiques est quasi boueux; s'il ne peut traverser les
capillaires du cerveau, il les fait éclater et l'hémor-
ragie cérébrale se produit.

Par contre le sel est durcissant des tissus, les
conserves que l'on fait dans les saumures le prouvent surabondamment ; son usage donne donc ce
résultat : plus de facilité dans les mouvements des
liquides, plus de résistance des solides, et du cerveau en particulier.

Le docteur Pioch a (*Gazette des Eaux*, 1871)
guéri en Afrique de nombreux soldats atteints de
fièvre intermittente, avec le chlorure de sodium à
la dose de 10 grammes. Le sel est donc un succé-
dané très légitime du sulfate de quinine.

Les deux substances qui, après le chlorure de
sodium, paraissent jouer le rôle le plus important
dans la cure minérale à Bourbonne sont le *brôme*
et *l'iode*. Ces deux corps ont valu à nos eaux la
qualification si ambitionnée de *bromo-iodurées*. Le
brôme et l'iode ainsi que l'arsenic sont en faible
proportion, sans doute, dans la composition minérale, mais ces trois agents sont tellement actifs,
leur effet est si certain, qu'à dose médiocre,

ils produisent des résultats thérapeutiques merveilleux.

Le brôme a la propriété singulière de faire cesser promptement les douleurs articulaires, c'est un
anti-arthritique par excellence et un reconstituant
nerveux énergique. Son usage régularise la fonction menstruelle, nos eaux passent à bon droit
pour être emménagogues, et à une certaine époque, elles ont été prônées contre plusieurs formes
de stérilité.

L'iode et le brôme sont des anti-scrofuleux et
anti-syphilitiques bien connus, on les utilise avec
un succès remarquable contre les manifestations
du tempérament lymphatique exagéré. Le rachitisme, les ulcérations de la peau, les engorgements
osseux, les indurations glandulaires, la carie, etc.,
sont améliorés par l'emploi pharmaceutique du
brôme et de l'iode, mais l'état moléculaire et la
combinaison particulière de ces agents avec les
autres éléments minéraux leur donne à Bourbonne une activité bien plus grande que partout
ailleurs.

L'arsenic est comme chacun sait anti-fiévreux,
antinévralgique, antiapoplectique; c'est, en outre,
un médicament de premier ordre contre les maladies de la peau.

Parlerai-je des oxydes de fer et de leur action tonique, du sondage n° 8 qui contient 7 milligrammes 1/2 d'oxyde de fer et de manganèse par litre, d'après la récente analyse de M. Willm, des sels de chaux et de potasse, du silicate de soude, de l'alumine, du cœsium, rubidium, lithium et strontium ? Toutes ces substances ont leur raison d'être et il n'est pas douteux qu'elles agissent efficacement. Dans quelle proportion ? Nul ne peut le dire, mais il est certain que l'ensemble de ces éléments divers fondus dans un tout harmonieux produit chaque jour les résultats thérapeutiques les plus inespérés.

M. Scoutetten a publié en 1864 un volume intitulé : *De l'électricité considérée comme cause principale de l'action des eaux minérales sur l'organisme.* Des expériences entreprises à Bourbonne et à Plombières par ce médecin distingué, il résulte que nos eaux fournissent un excès d'électricité négative, la terre étant positive. Les électrodes placées, une dans l'eau minérale, l'autre dans la terre, le galvanomètre a marqué 80° à Bourbonne.

Lorsque l'eau minérale est en contact avec le corps humain, il se manifeste également une action électrique fort vive et dont la direction est

6.

positive ; ce qui indique que l'électricité part de
l'eau pour pénétrer dans le corps. Les deux électrodes d'un galvanomètre étant introduites, l'une
dans un bain d'eau de Plombières, l'autre dans
l'épaule de M. Scoutetten placé lui-même dans le
bain, l'aiguille dévia de 85°. L'eau commune produit un courant de 10° seulement. L'intensité du
courant varie selon la nature de la minéralisation,
la température du liquide et surtout son origine.
Les eaux venant des profondeurs de la terre jouissent de propriétés actives exceptionnelles, qui
s'expliquent facilement par des frottements prolongés, donnant naissance à une action électrique,
surtout si l'ascension est de deux ou trois mille
mètres et dans une crevasse ou fissure traversant
des roches et des terrains dont personne malheureusement ne pourra jamais vérifier la nature et la
composition.

Il est certain que l'action électrique des eaux
minérales sur l'organisme existe, et que cette action est importante, sinon principale. L'électricité
est-elle l'âme des eaux minérales, le je ne sais
quoi qui rendra compte un jour de tous les phénomènes thérapeutiques produits vraisemblablement
en dehors de la thermalité et de la minéralisation ?
Disons avec Montaigne, *que sais-je ?* Quoi qu'il en

soit, cette idée d'attribuer à l'électricité un rôle important dans la cure thermale n'est pas nouvelle. Ballard écrivait trente-trois ans avant M. Scoutetten : « La combinaison de l'électricité dans les eaux de Bourbonne leur communique un degré d'énergie que n'ont pas celles du voisinage. » Malheureusement, les raisons qui inspiraient le chef de l'hôpital militaire et les conséquences qu'il en déduisait sont contestables, mais le fait lui-même est certain.

Je terminerai les considérations qui précèdent en ajoutant : les phénomènes électriques observés sont-ils le résultat de l'action d'une pile à deux éléments, l'un le liquide minéral et l'autre le corps humain, ou les eaux minérales comme le veut M. Scoutetten forment-elles une pile susceptible de dégager de l'électricité ? Je n'ai pas l'autorité suffisante pour trancher la question, mais *a priori* nous pouvons croire que les eaux minérales arrivent à la surface du sol avec l'électricité dont elles se sont chargées au sein de la terre, augmentée encore par le frottement contre les roches dans la période ascensionnelle.

J'ai dit que l'eau minérale excitait les fonctions sécrétoires de la peau, les systèmes nerveux et circulatoire ; la respiration est aussi rendue plus facile et bénéficie également de la stimulation générale de l'économie. J'arrive aux fonctions digestives.

Les premiers jours de l'application des eaux *intus* et *extra* sont caractérisés par une augmentation de l'appétit et un sentiment de bien-être physique et moral qui tient autant aux changements d'hygiène et d'habitude qu'à l'usage même des eaux. Dans les jours qui suivent, les selles perdent leur régularité, elles deviennent plus liquides et plus abondantes. Si le traitement est activé, la diarrhée ne tarde pas à se produire, surtout si le malade boit immodérément comme il est trop souvent disposé à le faire. Quand l'eau thermale est bue avec déplaisir, l'effet purgatif est certain.

M. Cabrol avait posé en principe que, chaude, l'eau minérale produisait la constipation, froide, la diarrhée. Les soins exigés par les dérangements intestinaux étaient pour lui d'une parfaite simplicité. J'ai cherché à me rendre compte par une observation attentive des faits, du plus ou moins d'exactitude de cette manière de voir, et je suis arrivé à cette conclusion qui se rapproche beaucoup de celle de M. Cabrol. L'eau froide est généralement laxative, même à des doses médiocres, deux cents grammes par exemple ; très-chaude et en petite quantité, elle est échauffante ; elle purge moins sûrement que froide, mais elle est relâchante à la dose répétée plusieurs jours de suite de 500 grammes et à la température de 30°. Après huit ou quinze jours d'un traitement minéral borné au bain et à la douche, la constipation est la règle, le traitement complet bien dirigé, régularise les fonctions intestinales.

Il serait oiseux de dire que la sécrétion urinaire est activée en raison inverse de la sécrétion de la sueur, il est clair que la température élevée du bain et de la boisson diminuera la quantité d'urine sécrétée ; j'ajouterai cependant que le chlorure de sodium est un excitant des reins et que toutes proportions gardées, leurs fonctions seront légèrement exagérées ici.

Les règles devancent en général, augmentent de durée, et sont plus abondantes pendant le traitement minéral.

Les eaux de Bourbonne, comme j'ai déjà dit, passent à bon droit pour être emménagogues ; mais si elles excitent les ovaires, elles excitent également l'utérus et il n'est pas rare de voir apparaître des flueurs blanches chez les femmes prédisposées. Cet accident disparaît avec la cause qui l'a fait naître. Il est d'usage de supprimer le bain chez les femmes qui, n'ayant pas pris de suffisantes précautions pour fixer entre deux époques leur séjour ici, sont surprises par leurs règles, la cure commencée ; on peut à la rigueur, continuer la douche quand elle ne doit être appliquée ni sur les reins ni sur les cuisses.

Les causes intimes de l'action des eaux ne sont pas encore parfaitement connues ; quant à leurs effets thérapeutiques, ils s'exercent sur toute une série d'affections déterminées par la pratique.

L'amélioration est d'abord éphémère et maximum à la sortie de la douche, elle se prolonge insensiblement et devient bientôt définitive ; elle se traduit par un état général meilleur, par la diminution des douleurs et l'augmentation des mouvements. Si on se trouve plus mal en revenant de la douche qu'en y allant, on peut presque parier que l'application a été trop longue, trop chaude ou trop forte.

Il peut survenir à un moment donné qu'au lieu de diminuer, les douleurs s'exacerbent. Le fait n'est pas rare. Je le regarde comme avantageux ; quand il n'y a pas exagération, il est le précurseur d'une amélioration prochaine. Si ce symptôme est par trop accusé, il est urgent d'interrompre les douches.

En commençant un traitement minéral appuyez sur le bain, en finissant sur la douche.

Voici une façon qui m'est familière :

1re décade : bain tous les jours, douche tous les deux jours.

2e décade : douche tous les jours, bain tous les deux jours.

Il serait préférable de prendre le bain ou la douche complètement à jeun ; pour les personnes qui ne le veulent ou ne le peuvent pas ainsi, je ne vois pas grand inconvénient à boire du bouillon ou du lait une heure avant la douche. Quant au bain, le premier contact de l'eau étant seul à craindre, aussitôt dans la baignoire mangez ce qui vous plaira, le moins sera le mieux. Je conseille souvent de faire faire un petit repas aux enfants, en l'arrosant comme de juste d'un verre d'eau chaude; après leur premier quart d'heure de pis- cine, un pain d'un sou bien beurré à l'intérieur fait parfaitement l'affaire.

CHAPITRE III

MODE D'ADMINISTRATION DES EAUX

La durée du traitement thermo-minéral est ordinairement de une, deux ou trois saisons. A Bourbonne comme ailleurs on tient beaucoup à ce chiffre cabalistique de vingt et un jours qui constituent une saison. Pourquoi vingt et un jours? C'est, disent plusieurs médecins, le temps normal pendant lequel la femme se trouve en dehors de la période menstruelle. En effet, la femme est sous l'influence cataméniale en moyenne cinq jours pendant, deux jours avant et deux jours après les règles. Cette assertion se justifie assez bien. On peut dire encore que vingt et un jours font trois semaines, chiffre rond, et dans beaucoup de cas les malades ne peuvent disposer que de ce temps, qui souvent aussi est suffisant pour tirer un certain profit du traitement minéral. Dans les cas graves, deux saisons séparées par un repos de huit jours sont indispensables pour assurer une amélioration définitive ; c'est au médecin traitant à juger de l'opportunité et de la durée de la prolongation ; ses conseils ne sont malheureusement pas toujours suivis.

Quelle est l'époque préférable pour se rendre aux eaux ? Chacun se préoccupe en général de sa convenance personnelle. Les travaux des champs sont insignifiants dans le cours du mois de juillet, c'est une raison qui détermine bon nombre de personnes ; d'autres choisissent l'époque des vacances fin août et commencement de septembre ; les malades sérieux pressés de guérir se mettent en route aussitôt la saison ouverte.

Aux gens de plaisir, je dirai : choisissez juillet, aux autres juin et août. La cure sera également assurée dans ces trois mois qui ont bien aussi leurs inconvénients à côté d'incontestables avantages; juillet et août sont souvent trop chauds et juin trop humide.

Le temps et l'époque choisie me paraissent secondaires dans la manifestation des phénomènes spéciaux au traitement balnéaire. En janvier, on pourrait parfaitement obtenir d'excellents résultats avec les bains et les douches. Tout péril pro-

7

duit par les changements brusques ou non de température est imaginaire si on n'oublie pas les précautions hygiéniques qui doivent accompagner l'application des eaux.

Dans les jours de grande chaleur, si on ne veut pas incendier, enfiévrer son malade, il faut modérer les applications, surtout comme durée et thermalité. En revanche, quand l'atmosphère sera froide, les applications seront nombreuses et chaudes. Quand il fera un beau soleil et que votre client pourra se promener à la sortie de l'établissement, faites-lui prendre une douche ; s'il fait pluvieux ou froid, un bain chaud qui le mettra en bon état de chaleur pour toute la journée et lui fera passer une heure dont il ne saurait que faire.

Les eaux de Bourbonne s'administrent en boisson, bains, douches, étuves, fomentations, injections, gargarismes et pulvérisation. Les boues sont quelquefois employées en topiques. Les trois premières manières sont de beaucoup les plus usitées; réunies elles forment ce qu'on appelle un traitement complet; les autres modes d'administration sont exceptionnels et n'ont de raison d'être que dans certaines indications particulières.

L'activité du traitement minéral dépend en grande partie du mode d'application.

Les éléments d'action sont :

1° La minéralisation qui peut être diminuée par l'addition d'eau commune.

2° La chaleur qui peut être également modérée à volonté.

2° La durée, la fréquence et la force de l'application. Une douche de 15 mètres de pression à grand canal n'agit pas de la même façon qu'une douche de 5 mètres en pluie.

C'est au médecin à diriger et noter ces éléments, à les utiliser suivant les cas.

Le traitement thermal sera lentement progressif, il n'arrivera à son entier développement que vers le dixième jour de la cure. J'indique souvent à mes malades la gradation suivante en la modifiant, s'il y a lieu ; destinée à des rhumatisants, elle ne conviendrait nullement aux apoplectiques.

1er jour, bain de une demi-heure à 35°.

2° jour, bain de trois-quarts d'heure à 35°. Douche en arrosoir à 36°, de dix minutes, un demi-verre d'eau, c'est-à-dire cent vingt-cinq grammes environ.

3° jour, comme le deuxième.

4° jour, bain de trois-quarts d'heure à 35°. Douche en arrosoir à 36°, de dix minutes, un verre d'eau, soit deux cent cinquante grammes.

5° jour, comme le quatrième.

6° jour, bain de trois-quarts d'heure à 35°. Douche
     en arrosoir à 38°, de dix minutes, un verre
     d'eau.

7°, 8° et 9° jours, comme le sixième.

10° jour, bain de une heure à 36°. Douche en plein
     canal à 40°, de 10 minutes, deux verres d'eau.

Les 11°, 12°, 13°, 14°, 15° et 16° jours comme le 10°;
en supprimant le bain s'il y a lieu et employant
la douche à haute pression en arrosoir.

Dans les cinq derniers jours, on peut porter la
température du bain à 38° et même 40°, et la douche
à 42° et même à 45°, en se servant de la lame transversale; la dose de boisson peut aussi être augmentée, il est souvent utile d'en faire absorber à
certains malades un litre et plus.

Il est imprudent certes d'entrer rapidement dans
un bain à 40°, mais le bain commencé à 35° peut
successivement être monté à 40° et plus, en deux
ou trois appels faits au garçon. Je dirai à l'avance
aux médecins qui trouveraient que les températures de 40° pour le bain et 45° pour la douche sont
exagérées, qu'à Bourbon-l'Archambault ces chif-
fres sont loin d'être des maximum, ils sont constamment dépassés dans les affections rhumatismales, et avec raison.

Le traitement tel qu'il se pratique à Bourbonne
est trop actif à mon sens ; cela tient en grande
partie au peu de temps que les malades ont à con-
sacrer à leur cure. A Aix on donne un jour le bain,
le lendemain la douche. A Uriage, le bain le matin, la douche le soir ; dans d'autres stations, les
malades prennent les dix premiers jours des bains,
les dix suivants la douche. Partout, selon la
station et le médecin, le traitement change de
forme. Je crois qu'il faut préférer celui qui appuie
sur le bain en commençant et la douche en terminant. Il est utile de faire alterner ces deux moyens
si l'on veut se fixer sur le plus ou moins d'opportunité de l'un ou l'autre. De règle absolue, il n'y
en a pas et ne peut y en avoir. Le traitement que
j'ai précédemment indiqué, pour les rhumatisants
par exemple, est trop énergique dans nombre de
cas et ne convient qu'aux gens robustes, pressés
de rentrer chez eux.

Boisson.

L'eau minérale à l'intérieur est particulièrement
indiquée dans les manifestations de la scrofule,
carie, tumeurs blanches, ulcères, engorgements
ganglionnaires, etc. Elle est utile contre les rhu-

matismes et les paralysies de quelque nature
qu'elles soient et, en général, contre toutes les maladies chroniques, diathésiques, comportant une
grande dépuration et une stimulation énergique des
fonctions.

L'eau minérale chaude à l'intérieur, est tonique
et vitalisante, stimulante des fonctions stomachiques. Beaucoup de digestions embarrassées ont été
remises en bon état par son usage. Si elle diminue
l'appétit quand elle est prise en excès, elle l'excite
et le régularise par un usage modéré.

Pendant la saison 1888, MM. Boutarel, stagiaire
aux Eaux minérales, et Habert, pharmacien, ont étudié
l'action de l'eau thermale en boisson, sur l'organisme ;
à la fin de cette même année et en 1889, pour vérifier
l'exactitude des résultats obtenus précédemment, M. Habert continua ces expériences et les compléta. Voici les
conclusions résumées de ce travail :

L'eau thermale ne peut être considérée comme *diurétique,* car l'augmentation d'urine n'atteint jamais la
quantité d'eau ingérée ; elle n'est pas éliminée de suite
et séjourne quelque temps dans le corps avant de s'en
aller par les urines.

La *réaction* de l'urine reste acide, bien que l'eau ait
une réaction alcaline. Tout au plus noterait-on une petite tendance à devenir moins acide après l'ingestion
d'un litre d'eau continuée pendant quelques jours.

La *densité* diminue au fur et à mesure que le volume

d'urine augmente. L'augmentation de la quantité d'urine est donc due surtout à la partie aqueuse, et les sels n'augmentent pas dans la même proportion.

La quantité d'*urée* est toujours accrue et croît avec la quantité d'eau ingérée. Ce fait n'est pas surprenant, car les physiologistes ont signalé cette propriété du chlorure de sodium de favoriser l'élimination de l'urée et Rabuteau en a prouvé l'exactitude.

L'*acide urique* décroît d'une façon notable et la proportion dont il diminue varie de plus du cinquième à tout près de moitié, par rapport au poids d'acide éliminé en 24 heures dans l'urine normale. C'est là un point important à relater. De même que l'urée, l'acide urique provient de la transformation des matériaux azotés ; mais sa production est moins légitime que celle de l'urée. Sa formation, bien que permanente correspond à une oxydation imparfaite, à une insuffisante élaboration des matières azotées. En un mot, il n'est pas un produit ultime de la nutrition. Car, introduit dans l'économie, il est encore carburé et donne naissance à de l'urée. L'acide urique décroît d'autant plus que le volume d'eau thermale absorbé est plus considérable.

Le rapport de l'acide urique à l'urée suit la même proportion.

Les *chlorures* augmentent, mais non proportionnellement à la quantité absorbée. La quantité de chlorures non éliminée passe dans la circulation. D'après Gubler, le sel marin est une substance éminemment dialysable ; en cette qualité, il s'absorbe aisément. Il va dans le sang, augmenter la masse la plus importante des sels neutres du serum et favoriser le conflit de l'oxygène avec les globules rouges.

Dans les premières heures qui suivent l'absorption de l'eau la quantité de chlore trouvée dans l'urine est minima et elle est maxima 10 à 12 heures après.

Du jour où le traitement cesse, les chlorures baissent et tombent au dessous de la moyenne normale. L'excès de chlorure de sodium absorbé s'élimine donc dans les 24 heures. L'eau de Bourbonne ne suit pas en ceci la loi enseignée à Vichy, loi d'après laquelle les sels absorbés dans l'eau minérale mettent environ vingt jours à s'éliminer complètement.

L'acide phosphorique diminue dans l'urine influencée par le traitement. Le chlorure de sodium exerce là aussi son influence en facilitant l'assimilation des phosphates et en s'opposant ensuite à leur expulsion. Or le phosphate de chaux est un agent qui concourt non-seulement à la formation de la substance minérale des os, mais qui a aussi une action des plus nettes sur la nutrition et sur le développement de l'activité musculaire.

Enfin, sous l'action de l'eau en boisson, la température du corps augmente. La température maxima observée a été de quatre dixièmes de degré. Au bout de 2 heures 1/2 à 3 heures, le thermomètre revient au degré observé avant l'expérience.

En résumé, l'eau thermale exerce une action chimique sur l'organisme ; elle renferme des principes qui tendent à augmenter la sécrétion et l'acidité du suc gastrique, à favoriser et à régulariser les actes de la nutrition. Elle accélère les échanges organiques.

Quand on doit boire moins de deux cent cinquante grammes d'eau, il est plus simple de prendre cette dose en une seule fois après la douche ; s'il s'agit de deux verres, il est convenable de faire suivre l'ingestion du premier d'une promenade de dix minutes ; quelques personnes préfèrent prendre le premier verre avant le bain. Lorsque la dose indiquée sera de plus de cinq cents grammes, c'est que le traitement interne aura une grande importance ; dans ce cas, il est indiqué de boire un ou deux verres à quatre heures du soir, dans le cours d'une promenade au jardin des bains.

Les Allemands, très experts en hydrologie, attachent une importance considérable à la promenade, dont ils font suivre l'absorption de l'eau ; aussi, ont-ils construit des trinkhall monumentales. Sans tenir autant que nos voisins à l'exercice méthodique qui sépare la prise de chaque verre d'eau, je pense néanmoins que la marche facilite la digestion des liquides, et qu'à ce titre elle convient parfaitement aux personnes qui doivent boire chaque jour une grande quantité d'eau minérale.

J'ai été à Bade, Wiesbaden et Ems, ces stations si bien comprises, j'en suis revenu convaincu que notre eau qui est égale, sinon supérieure, sera un jour bue avec les soins et l'attention apportée par les médecins d'Outre-Rhin. La boisson prendra le

7.

pas sur tout le reste et les obstructions du grand appareil digestif en trouveront une amélioration telle que notre clientèle doublera de ce fait.

Plus l'eau est chaude, moins elle est désagréable à prendre, et mieux elle passe. La température devra varier de 30 à 50° suivant l'effet produit sur l'estomac et l'intestin. Le plus ordinairement très-chaude, elle est constipante ; tiède ou froide, elle purge légèrement. Il est convenable de rendre les excrétions plus fréquentes et plus abondantes tant que dure le traitement ; en variant la dose et la thermalité de la boisson minérale, il est facile d'arriver à un état d'excitation satisfaisant de l'intestin, organe qui sera toujours un thermomètre précieux à consulter pour la bonne administration de l'eau à l'intérieur.

J'ai bu et fait boire à plusieurs personnes l'eau minérale à 65° à petits coups. M. Athénas m'objecta, en ce moment, que l'eau minérale pouvait être bue à 65°, mais non l'eau commune, et que je me brûlerais infailliblement avec de l'eau ordinaire portée artificiellement à la température de 65° ; je fis de suite l'expérience, sans inconvénient pour mes lèvres. On ne pourrait pas, bien entendu, prendre des bains ou des douches à cette température. Chacun sait que si on ne se brûle pas la

bouche avec du bouillon, du café ou de l'eau minérale extrêmement chaude, cela tient au mucus
qui tapisse les muqueuses et les protège contre
les impressions trop vives de froid et de chaud.
Cette température extrême ne produit qu'une
très grande sueur, utile souvent dans le rhumatisme ; cet effet n'est pas le plus recherché généralement, et on préfère avec raison la température
de 45°, qui prépare à la rentrée au lit une douce
moiteur. Plus le temps est froid et humide, plus
on doit boire chaud.

Quelle est la quantité d'eau qu'il convient de
boire ?

Tibault a vu « plusieurs personnes de qualité,
qui les ont prises jusques à quinze et dix-huit
verres par jour, et en ont reçu un merveilleux
soulagement. » M. Renard a vu « un malade à qui
il avait prescrit un litre en trois verres, avaler
cinq fois cette dose en quinze verres, dans l'intervalle d'une heure, en *soutenant qu'il avait trouvé
son degré*. Ce malade a continué ainsi à boire pendant quinze jours. C'était un homme jeune et fort ;
et comme il avait besoin d'une forte dépuration,
car il avait eu plusieurs maladies vénériennes et
subi de nombreux traitements mercuriels, M. Renard n'a pas protesté beaucoup contre cette

apparente témérité. L'effet produit consistait dans
une augmentation notable des évacuations ordinaires, urines, selles et sueurs, et dans un
appétit d'enfer, suivant l'expression du malade. »

Ce n'est pas un exemple à suivre, ajoute judicieusement Emile Renard, auquel j'emprunte cette
citation.

Contre les manifestations du tempérament lymphatique, pour un adulte, je conseillerai la dose de
un litre, si l'eau est bien supportée ; pour les autres
affections un demi-litre doit suffire.

L'eau bien chaude n'est pas désagréable au goût,
elle répugne cependant à quelques palais trop difficiles. On a conseillé de la mélanger à du lait, de
l'eau de fleur d'oranger, etc. Je préfère l'adjonction
d'acide carbonique, moyen que j'ai proposé le
premier en 1864. Voici ce qu'on lit dans le journal
le Progrès de la Haute-Marne, numéro du 10
juillet :

« Les eaux salées de Bourbonne, prises à l'intérieur, sont résolutives, dépuratives, éliminatrices ;
elles impriment à l'économie une grande absorption interstitielle, une désassimilation plus grande
encore, et par contre-coup, le dégorgement des
organes.

« Les eaux de Bourbonne sont indiquées à l'intérieur dans toutes les affections où les bains et les douches forment la base du traitement principal, mais dans les maladies diathésiques, quand la constitution a un besoin pressant d'être transformée, tonifiée à l'excès, l'eau minérale à l'intérieur est héroïque, et doit former elle-même la base de la médication thermale.

« Frappé des difficultés que plusieurs médecins ont éprouvées dans l'administration de l'eau de Bourbonne, M. le docteur A. Causard a cherché et trouvé, croyons-nous, un moyen qui mettra, sinon tout le monde d'accord, les médecins ne sont jamais d'accord, mais qui mettra, dis-je, les malades à même de boire notre eau fructueusement et agréablement... Ce moyen consiste à charger l'eau minérale d'acide carbonique. »

Je n'attache pas grande importance à ma découverte, cependant, je ne serais pas surpris qu'un médecin plus persistant que moi la reprenne, et fasse accepter définitivement mon eau gazeuse.

Bain.

Le bain est la forme ordinaire de l'application des eaux minérales et avec justice, c'est par ce moyen que s'exerce surtout l'action physiologique.

Comment? Est-ce par l'absorption des sels que l'eau renferme, ou par la température même du bain. Peu de questions ont été débattues autant de fois. MM. Kuhn et Duriau, à force de recherches et d'expériences, ont pu poser les quatre propositions suivantes :

1º L'absorption à la surface de la peau existe dans les bains froids ou frais, et son intensité est proportionnelle à la durée du bain.

2º A température indifférente, c'est-à-dire entre 30º et 38º l'exhalation et l'absorption sont en équilibre. Il est impossible de fixer le degré de l'indifférence qui varie selon les personnes. Chez un homme sanguin elle sera à 32°, chez un nerveux à 36º ou 38º.

3º Les bains chauds augmentent l'exhalation des liquides et l'absorption des sels.

4° Les bains minéraux en général sont excitants, en raison directe des proportions de principes minéralisateurs et de calorique qu'ils renferment.

J'ajouterai que les bains frais sont sédatifs et fortifiants ; ils activent la sécrétion urinaire et les fonctions intérieures, mais ils peuvent produire des congestions cérébrales ou pulmonaires par le brusque reflux du sang vers les centres ; ils doivent être de courte durée. A Bourbonne, on les emploie fort peu.

Les bains tièdes, à température agréable ou indifférente, sont de beaucoup les plus usités ici :
c'est par eux que commence et se continue le traitement. Ils sont légèrement excitants et toniques,
ils facilitent ou rétablissent l'harmonie de toutes les
fonctions. Chez les rhumatisants et les névralgi-
ques, j'ai l'habitude de faire remonter brusquement
le bain de deux degrés, dans les cinq dernières
minutes de sa durée, surtout quand il ne doit pas
y avoir de douche après ; ce moyen donne en partie l'excitation, ou dernier coup de chaleur de la
douche.

Les bains chauds sont violemment excitants :
comme les bains frais ils ne doivent pas être prolongés. On doit en faire usage avec méthode et
discrétion, car ils peuvent produire des palpitations
et des étourdissements. Je les conseille surtout
contre les rhumatismes et les névralgies invétérées. M. Lasègue les faisait porter insensiblement
à la température de 48°, pour le rhumatisme chronique à déformation. Cette température avec nos
eaux serait excessive.

L'excitation produite par les bains minéraux, est
en raison directe de la quantité des principes minéralisateurs qu'ils renferment et de la température de l'eau, ai-je dit ; ce principe bien posé, on

comprend facilement comment il se fait qu'à Bains, Plombières, Luxeuil, etc., les malades puissent rester impunément plusieurs heures dans de l'eau tiède, qui contient à peine 0.50 centigrammes de sels ; mais à Bourbonne, dont l'eau renferme près de 8 grammes de principes actifs par litre, les choses ne se passent plus de même.

Suivant les effets à produire, la durée du bain devra être prolongée ou diminuée. Quand il s'agira d'une reconstitution profonde, si le médecin est décidé à agir vigoureusement contre des lésions graves et anciennes, le bain durera une heure au moins avec une température élevée. Si, au contraire, l'affection est récente, si le traitement comporte d'incessantes précautions, la durée et la température du bain seront modérées. Dans l'un et l'autre cas, les malades intelligents suivront les conseils d'un médecin exercé.

A Bourbonne, nous fixons entre une demi-heure et une heure les limites ordinaires du bain.

L'établissement thermal renferme des cabinets avec baignoires et des piscines. Les malades qui occupent les piscines s'améliorent en général mieux et plus vite que ceux qui baignent en cabinet, d'où quelques-uns ont conclu naturellement, que les piscines, grâce au renouvellement

incessant, à la masse plus grande, et à la température uniforme de l'eau, offraient de sérieux avantages. Je crois qu'il n'en est pas tout à fait ainsi.
Sans doute les habitués des piscines doivent une
bonne partie de l'amélioration qu'ils obtiennent,
aux conditions supérieures d'hygiène, de repos et
de nourriture où ils se trouvent, comparées à celles dont ils jouissent chef eux. Ils appartiennent,
en effet, presque tous aux classes travailleuses et
peu aisées de la société.

Les eaux faiblement minéralisées de Plombières,
Bains et Luxeuil, nécessitent des bains de deux
ou trois heures ; à Bourbonne, il est rare qu'on
dépasse une heure. Trois heures dans une baignoire isolée, c'est trop long ; en nombreuse compagnie dans une piscine, c'est supportable. En
somme, le cabinet est-il préférable à la piscine ?
Je crois que les piscines, avec leur renouvellement
d'eau bien établi, leur température constante, le
voisinage de personnes sympathiques offre de
grands avantages.

Les bains locaux sont peu usités à Bourbonne,
parce que les maladies qu'on y rencontre dépendent presque toutes d'un trouble diathésique de
l'économie. Plusieurs médecins les préconisent
contre quelques entorses, certaines caries ; je ne

leur reconnais que le fâcheux inconvénient de congestionner des tissus déjà trop engorgés.

Les précautions à prendre pour entrer et sortir du bain tempéré sont insignifiantes. Il est important de procéder lentement, de tâter l'eau en quelque sorte des bains chauds, et d'appliquer une compresse imbibée d'eau froide sur la tête des personnes dont le cerveau est impressionnable.

Si le bain doit être pris seul et frais, il est convenable de se faire arroser les jambes et les pieds avec de l'eau bien chaude, au moyen du tube en caoutchouc qui alimente la baignoire, quand celle-ci vient d'être vidée.

Ne dormez, ni ne lisez dans le bain, mais frictionnez et agitez les parties malades. Rappelez aux gens de service qu'ils doivent tous les quarts d'heure s'assurer de la température de votre bain et le réchauffer s'il y a lieu. Ne conservez ni chemise ni peignoir dans votre bain, le contact de l'eau sera plus intime. Quand vous serez prêt à sortir du bain, que votre peignoir chaud soit à votre portée; enveloppez-vous aussi bien que possible pour passer à la douche.

Douche.

On donne le nom de douche à une colonne d'eau plus ou moins intense, qui vient frapper avec une force et une chaleur calculées tout ou partie du corps.

Les deux effets par excellence que la douche doit produire sont le massage et la dérivation.

La douche se prend à Bourbonne après le bain; dans les stations pauvres en sources minérales, on la reçoit avant; de sorte que l'eau qui a servi à la douche constitue le bain. La méthode que nous suivons est préférable, car l'excitation de la douche étant plus forte que celle du bain, elle doit venir après, un traitement rationnel devant toujours procéder par gradation.

La douche agit d'une façon complexe, par les qualités de l'eau, minéralisation et température, et par action dynamique. Le choc de la colonne d'eau sur les tissus exerce une sorte de massage éminemment favorable.

Pendant l'application, les muscles seront mis dans le relâchement le plus complet; aussi, conseillons nous la position couchée, sur le matelas destiné à cet usage. Je dirai en passant qu'il

n'existe peut-être pas en France de station où on
applique la douche aussi bien qu'à Bourbonne ;
cette supériorité est incontestablement due aux
travaux de M. Renard sur cette matière.

La douche doit être un peu plus chaude que le
bain qui l'a précédée, elle sera toujours dirigée par
un doucheur qui manœuvrera le tuyau sur les indications du malade quand celui-ci a été instruit par
un médecin; dans le cas contraire, le patient fera
bien de s'en rapporter aux personnes chargées de ce
service, elles sont toutes parfaitement exercées.

Il est convenable de terminer la douche par les
pieds afin d'éviter les maux de tête qui ne sont pas
rares à la suite de son application. Cette précaution
est nécessaire chez les hémiplégiques ; il est utile
également d'augmenter brusquement la chaleur de
l'eau dans cette dernière période du traitement.

Cette application n'est pas toujours inoffensive,
j'en citerai un exemple. M. le comte de B... venu
à Bourbonne en 1871 pour une hémiplégie légère,
prit des douches sous ma direction, avec le bain
de pieds traditionnel. Après la troisième ou quatrième application, M. de B... me fit appeler à son
hôtel pour un violent accès de goutte, assurément
déterminé par les bains de pieds. J'appris seulement
que mon client était goutteux depuis de nombreuses

années, ce que j'avais eu le tort d'ignorer, en commençant le traitement qui, malgré cet incident, réussit fort bien.

La température du bain doit être constante, excepté pour les rhumatisants, pendant toute sa durée; pour la douche, c'est différent, il est utile d'élever progressivement sa chaleur depuis le commencement jusqu'à la fin, surtout dans les affections atoniques.

La durée de la douche est en moyenne de dix minutes; comme pour le bain, elle sera d'autant plus chaude que l'excitation devra être plus grande : quant à sa direction, elle a lieu presque toujours de haut en bas, elle est alors dite descendante; l'eau tombe perpendiculairement sur les parties malades, après avoir arrosé préalablement les membres supérieurs et inférieurs ; ne pas oublier que le doucheur doit constamment imprimer au jet des mouvements de va-et-vient, cette précaution est indispensable pour éviter toute congestion partielle.

La douche se donne aussi latéralement et encore de bas en haut, elle est alors ascendante.

La douche est dite par réverbération ou réflexion quand, au lieu de frapper directement les tissus, elle est dirigée sur une planche inclinée de façon à

renvoyer l'eau en rosée sur les parties délicates,
comme la face, la poitrine, etc. Cette même planche
est encore utilisée pour préserver le tronc de l'action de la douche, lorsque le malade couché sur le
côté reçoit le jet sur le membre supérieur ; il est
indispensable d'éviter que le foie, le cœur, les
reins et en général tous les organes thoraciques
et abdominaux soient trop violemment excités par
l'action dynamique de la douche ; j'ai observé avec
M. Renard, chez M. M..., de Dreux, le retour de
coliques hépatiques dû vraisemblablement à des
douches trop fortes.

Quand les membres sont tuméfiés ou douloureux, il est utile de les envelopper d'une bande ou
d'une compresse, afin de diminuer l'intensité du
choc. Je conseille également de diriger dans certains cas spéciaux le canal de manière à frôler en
quelque sorte les membres et le tronc, le doucheur
étant placé en avant ou en arrière du malade.

La douche se prend en arrosoir, en demi et grand
canal et en lame. L'arrosoir est percé de trous variables en nombre et en calibre. On débute presque
toujours par l'arrosoir le plus fin et rapidement on
arrive au demi-canal, en passant quelquefois par
les pommes à trois, cinq et sept trous. L'arrosoir
agit principalement sur la peau dont il excite vive-

ment les fonctions circulatoire et sécrétoire ; d'abord anesthésiée, la sensibilité s'exalte dans la réaction. Si les arrosoirs les plus fins et à la plus basse pression ne peuvent être supportés, faire doucher sur la main du doucheur.

Le canal s'adresse surtout aux muscles qu'il prépare à remplir convenablement leurs fonctions physiologiques. On passe au demi-canal vers le dixième jour, au grand vers le douzième. J'ordonne la lame dite douche transversale à la fin du traitement, elle est plus forte et dépense plus d'eau que les précédentes.

La douche latérale convient aux hémiplégiques, elle permet de doucher le malade assis ou debout ; le doucheur, placé près de lui, l'aide à exécuter les mouvements indispensables.

La douche ascendante est dirigée contre le périnée en arrosoir ou en un jet plus ou moins fin ; si le tube est introduit dans le rectum ou le vagin, il faut modérer avec précaution le courant d'eau. L'affaiblissement et la paresse de l'intestin, de l'utérus, etc , peuvent être améliorés par cette manière de faire à laquelle je reviendrai plus tard.

La douche auriculaire est appliquée avec un appareil spécial contre la surdité, symptomatique d'états morbides particuliers.

La douche écossaise est alternativement chaude et froide, elle est utile contre plusieurs formes de névralgies et de paralysies.

On a l'habitude à Bourbonne de se couvrir la tête d'un bonnet de toile cirée ou d'un casque en fer blanc, pendant la durée de la douche, afin d'empêcher le contact des cheveux avec l'eau salée. Quelques médecins s'insurgent contre le bonnet de toile cirée qui n'a pas, je crois, les inconvénients qu'on lui reproche ; je conseillerai, par exemple, aux hémiplégiques de préférer une compresse imbibée d'eau froide placée sur le front. L'eau minérale ne fait pas tomber les cheveux, comme plusieurs le prétendent ; elle a tout au plus l'inconvénient de laisser un petit dépôt de sel qui, en s'évaporant autour des cheveux les rend cassants ; mais ils repoussent fort bien ensuite.

Tibault ordonnait très souvent la douche sur la tête « sur le devant, là où se rencontrent les deux sutures coronale et sagittale, contre le catarrhe, céphalée, pour ceux qui ont quelques signes avant-coureurs d'épilepsie ou d'apoplexie ; au contraire pour la stupeur, paralysie et débilité des nerfs, il la faut appliquer sur la partie postérieure de la tête et sur la nuque ou chainon·du col. » Cette pratique a complètement disparu, on évite aujourd'hui avec raison le choc de l'eau chaude sur la tête et les parties voisines.

Voici les indications que M. Renard a fait imprimer pour le personnel des doucheurs :

« La douche est un massage exercé par une colonne d'eau dont la force dépend de la hauteur du réservoir auquel elle est empruntée. Son action est d'autant plus profonde que les parties du corps qui doivent la recevoir ne sont pas contractées, et que le malade est dans un état de relâchement des muscles aussi parfait que possible, afin qu'ils deviennent dépressibles et que la douche puisse les pénétrer plus ou moins profondément. C'est en vertu de ce principe que le malade la reçoit couché le plus ordinairement. Cette tradition s'est perpétuée à Bourbonne depuis les temps les plus reculés. La douche est ainsi donnée sur un chassis de toile tendue en forme de lit, dont la partie correspondant à la tête peut être plus ou moins relevée par un mécanisme approprié.

« Il est cependant des cas dans lesquels il vaut mieux que le malade reçoive la douche assis : ce sont ceux d'une grande obésité, de tendance du sang vers la tête ou d'une gêne de circulation. Cette dernière position est aussi préférable quand la douche doit être adressée aux muscles de la face, du cou, des parois latérales et antérieures de la poitrine. Il convient aussi, dans ces cas particuliers, qu'elle soit dirigée plutôt d'arrière en avant que dans le sens contraire.

« Quelle que soit la position du malade, la douche doit être promenée dans les conditions d'un va-et vient continu, d'assez près pour que la direction puisse en être bien suivie. Ce mouvement ne doit pas être précipité.

« Une douche administrée toujours à la même place, quand même cette indication semblerait motivée par le siège plus ou moins circonscrit de l'affection, tel, par exemple, que celui d'une seule articulation malade pourrait y accumuler l'action vitale au delà d'une juste mesure. Quel que soit le siège du mal, il convient d'étendre la douche aux parties circonvoisines, afin d'ajouter ainsi une sorte d'action dérivative à celle qui s'exerce directement sur le point spécialement affecté.

« Quand la douche est donnée sur un lit, le malade ne doit être placé directement ni sur le dos, ni sur le ventre ; il doit être incliné plus ou moins sur un côté du corps, à un degré suffisant de flexions des membres, afin d'arriver à l'état de relâchement désirable. Il peut ainsi exposer alternativement à l'action de la douche le côté gauche et le côté droit, quand les deux côtés doivent être douchés, y compris les muscles qui accompagnent la colonne vertébrale.

« Telles sont, d'une manière générale, les indications auxquelles le malade doit se prêter pour que la douche puisse lui être bien administrée ; mais il faut, d'un autre côté, que le doucheur ait toutes les facilités nécessaires pour atteindre le malade dans toutes les positions ; il doit être à côté de celui-ci, debout, muni d'un long tuyau flexible, qui lui permette de porter la douche dans toutes les directions, de haut en bas, latéralement, par différents angles d'incidence. Il faut aussi que le doucheur ait sous la main, suivant les prescriptions du médecin, les tubes qui doivent être ajustés sur place à

chaque tuyau, tubes de différents diamètres, à un seul
ou à plusieurs jets, jusqu'à l'arrosoir en pluie. Cela est
facile, au moyen du même pas de vis adapté à tous les
appareils.

« Le règlement de la température se fait également
sur place par le mélange de deux courants : l'un venant
d'un réservoir alimenté dans le cours même du service,
et donnant l'eau à un degré de chaleur beaucoup plus
élevé que ne le comporterait l'usage de la douche ou du
bain, l'autre de la même eau montée la veille et qui a
eu le temps de se refroidir. Ces deux courants, gouver-
nés par des robinets placés sous la main du doucheur,
sont ainsi ramenés à un seul, au degré de chaleur vou-
lue. Quant au degré de pression qu'on désire obtenir,
chaque compartiment de douche est muni d'appareils
correspondant à des réservoirs établis à deux hauteurs
différentes dans le coteau du Jardin des Bains.

« Quand les malades sont très-endoloris, le lit de
douche peut être revêtu d'un matelas de crin, protégé
lui-même par un tissu imperméable qui l'enveloppe en-
tièrement. Les matelas de ce genre, en usage à Bourbonne depuis une vingtaine d'années, sont peu épais, facilement maniables, et piqués de très-près comme des
coussins de voiture. Il y a aussi des sièges pour les malades qui doivent recevoir la douche assis. »

A. RENARD.

DÉBIT DES DOUCHES EN DIX MINUTES

	FORTES. 16 mètres de pression.	FAIBLES 8 mètres.
Arrosoir	800 litres.	500
Transversale..........	400 —	250
7 trous............	460 —	305
5 —	200 —	135
3 —	166 —	104
Canal....	240 —	160
En cercles.............	1.500 à 1.800	

J'ai fait à l'établissement civil, avec M. Preschey,
les expériences précédentes, sur le débit des
douches. Les réservoirs étaient pleins et l'établissement au repos complet : deux heures du soir.

Étuves.

Les bains de vapeur étaient largement utilisés par
les Romains, comme ils le sont encore aujourd'hui
par les Orientaux. Depuis longues années, les
médecins français négligent leur emploi, à tort
peut-être, car l'active stimulation des fonctions de
la peau est particulièrement utile contre les rhumatismes invétérés et les névralgies.

A peine entré dans l'étuve, le malade éprouve une grande gêne de la respiration, des palpitations et quelquefois même des étourdissements. Ces symptômes disparaissent vite et sont remplacés par un sentiment de bien-être et une sudation abondante.

On peut, après être resté de quinze à vingt minutes dans la vapeur d'eau, prendre un grand bain. Les pores de la peau, largement ouverts, sont alors capables d'une grande absorption ; à Bourbonne il est d'usage de s'envelopper d'un grand peignoir de laine, de se coucher sur un lit de douche et de continuer ainsi la sudation.

Les fomentations sont d'un usage journalier chez les habitants de Bourbonne, quand ils sont atteints d'entorses, contusion, etc. Les tumeurs blanches et les hydarthroses, les inflammations chroniques du périoste et des os peuvent s'en bien trouver, à la condition que l'eau ne sera pas trop chaude.

Les injections qui se font dans les cavités naturelles prennent le nom de douches ascendantes rectale, vaginale ou auriculaire. Si elles ont lieu dans le trajet de fistules accidentelles suite de carie, nécrose, etc., elles conservent le nom d'injections. Quant aux *pulvérisations*, elles sont reçues dans un cabinet récemment installé au premier étage.   8.

Boues.

Les boues s'emploient dans les mêmes circonstances que les fomentations, mais avec plus de succès.

La pression exercée par le cataplasme de boues minérales et l'excitation locale que produit son contact sur les tissus, sont utilisées principalement contre les engorgements qui avoisinent les fistules suppurantes, conséquences de coups de feu ou de caries osseuses.

Le limon végétal des sources n'a jamais été employé à Bourbonne. M. Bompard y a constaté cependant un excès considérable de peroxyde de fer et d'oxyde mangano-manganique.

CHAPITRE IV

HYGIÈNE DES BAIGNEURS

Hygiène morale.

Il n'est pas une fonction de l'organisme qui ne soit favorisée par le contentement de l'esprit; il n'en est pas une qui ne souffre, quelquefois cruellement, de l'état moral opposé. La tristesse, l'ennui feront avorter trop souvent une amélioration probable. Il est tout simple que l'éloignement de la famille et du milieu ordinaire, l'inquiétude du résultat de la cure thermale, les douleurs et les infirmités journalières disposent à la tristesse. Le médecin intelligent cherchera par tous les moyens en son pouvoir à prémunir ses clients contre l'ennui ; il devra, s'il le peut, leur faciliter la vie et les relations à Bourbonne, leur rendre tous les petits services qui ne sont rien pour lui et beaucoup pour eux, leur indiquer des buts de promenade ou d'excursion, ainsi que les distractions qui conviennent à leurs goûts et à leurs habitudes.

Les sites de Bourbonne et des environs sont gais et faciles à explorer ; j'ai cité en leur place les promenades et les excursions à faire ; le jardin de l'établissement est délicieux, on y trouve toujours une société choisie et agréable ; les salons, le jour et le soir, offrent des divertissements fort appréciés, même des personnes les plus sérieuses ; la table d'hôte n'est pas sans charme, et plus que tout cela encore l'amélioration, que le malade constate chaque jour, devra singulièrement le disposer à se réjouir et à voir en beau notre pays, le présent et l'avenir.

Hygiène physique.

Habitation. — Un malade ne devrait jamais venir à Bourbonne sans avoir à l'avance assuré son logement. En effet, pressé de s'installer, il prendra presque toujours la première chambre venue, où il se trouvera mal peut-être, mais l'ennui de chercher la lui fera accepter quand même. Rien de plus simple pour les fonctionnaires que de s'adresser aux personnes pourvues d'emplois analogues à

Bourbonne. Tout le monde ici sera charmé de faciliter l'installation du premier venu qui sera peut-
être un ami le lendemain.

Les chambres devront naturellement être au rez-
de-chaussée pour les paralytiques, spacieuses pour
tout le monde, bien aérées, exposées autant que
possible au levant, à cause de l'heure matinale à
laquelle on se lève ; un rayon de soleil rend la sortie du lit moins pénible et permet d'ouvrir les fenê-
tres pendant les deux heures que le malade passe
chaque matin à l'établissement. Les chambres, à
Bourbonne, sont parfaitement tenues, je ne leur reprocherai que l'excès de mobilier ; je ne voudrais
voir dans chacune qu'un très bon lit avec sommier,
une toilette, une table, une commode, trois chaises
cannées et un fauteuil, le tout en bois blanc. A quoi
servent dans une chambre garnie, ces tapis, ces
tentures, ces tableaux par trop fantaisistes, toutes
choses que l'on apprécie chez soi mais pas du tout
à l'hôtel. Ce qui est simple est facile à entretenir
et je suis convaincu que les logeurs trouveront
dans mon idée un sujet important d'économie et
les malades des chambres selon leur goût.

Je terminerai en citant l'excellent axiôme de
Londe, « point de lampe, point d'animaux, point de
fleurs dans une chambre à coucher. »

Vêtements. — Les changements de température
à Bourbonne sont brusques et souvent inattendus,
ils saisissent désagréablement même les personnes
les plus habituées à ces revirements soudains, dus
à la proximité des montagnes.

Le baigneur soucieux de sa santé, devra donc se
munir de vêtements chauds. S'il est atteint de douleurs ou de rhumatismes, le caleçon et le gilet de
flanelle sont de rigueur et aussi les genouillères,
les manchettes, etc.; il ne devra de plus jamais se
vêtir à la sortie de la douche sans que ces accessoires obligés de sa toilette aient été chauffés avec
son peignoir, car la peau encore humide peut, dans
le vallon où est construit l'établissement thermal,
se trouver en présence d'un courant d'air froid,
surtout à cinq ou six heures du matin, et en res-
sentir les dangereux effets.

Les soirées sont également à redouter. Le ruisseau de Borne, qui traverse le quartier habité de
préférence par les baigneurs, refroidit singulièrement l'air aussitôt le soleil couché; les précautions
à prendre le matin sont aussi indispensables dans
les promenades du soir. Le bas Bourbonne est
dans la journée plus chaud que le haut, le contraire existe après huit heures du soir. Cette différence est extrêmement sensible; aussi voyez-vous

les Bourbonnais prévoyants, qui descendent au
jardin, porter sur leur bras un manteau ou un par-
dessus qu'ils seront heureux de placer sur leurs
épaules après neuf heures.

Aliments. — Certains malades se font servir
chez eux, dans leur chambre, c'est là une détestable habitude. Il est indispensable que les personnes qui se trouvent éloignées de leur famille et de
leurs affaires ne s'ennuient pas ; or y a-t-il rien
qui dispose à l'ennui comme un repas pris solitai-
rement ? Je recommande expressément à mes malades de se distraire à Bourbonne autant que possible, de faire de nouvelles connaissances, et y a-t-il
de meilleure occasion que la table d'hôte ; là on oublie généralement ses maux pour un moment au
moins. Une société aimable est un excellent adjuvant du traitement thermal, car elle dispose à la
gaieté et à l'appétit.

Tout en rendant justice, comme ils le méritent,
aux efforts des hôteliers, je reprocherai cependant
à leurs tables la trop grande abondance de mets ;
trois sont suffisants, je crois, surtout s'ils sont
copieux et bien préparés.

Les nouveaux venus sont surpris de la saveur
épicée des aliments qu'on leur sert ; quand ils

auront pris plusieurs bains, qu'ils seront salés, en un mot, peut-être seront-ils les premiers à trouver fade ce qui leur semblait d'abord par trop assaisonné. Le chef de cuisine de l'hôpital m'a dit plusieurs fois que chaque jour il était obligé d'ajouter davantage de sel et de poivre dans les mets et que les officiers trouvaient encore la progression trop lente. Les sels de nature variée qui entrent dans la composition de l'eau minérale de Bourbonne pourraient être employés en cuisine au lieu de sel commun, on aurait ainsi un médicament précieux et un condiment agréable.

Cette idée qui a été émise pour la première fois par M. Millon, est aujourd'hui utilisée, au grand avantage des personnes lymphatiques.

Est-il bien nécessaire de prévenir les jeunes gens de ne pas prendre trop de café, bière ou liqueurs, de passer moins de temps à l'estaminet, davantage à la promenade; si je donne cependant ce conseil à nos braves officiers, c'est, qu'ils en soient sûrs, aussi amicalement que possible.

Emploi de la journée. — Levez-vous après le soleil, quand la rosée a disparu en grande partie, vers six heures par exemple. Le traitement minéral vous occupera de six à huit. Après avoir pris le verre d'eau traditionnel, si vous êtes infirme, malade ou paresseux, allez vous coucher; dans le cas contraire, promenez-vous doucement ou lisez les journaux. Les enfants et jeunes gens iront au gymnase installé dans le parc, s'exerceront sous la surveillance du gardien au trapèze, grimperont l'échelle ou la corde à nœuds. De dix à onze, déjeuner; souvenez-vous ensuite de l'axiôme de Salerne, *post prandium sta*, ce qui veut dire asseyez-vous au salon de votre hôtel, prenez du café s'il vous agrée, faites de la musique ou rien encore, puis remontez chez vous, là vous passerez votre temps à écrire ou à dormir, suivant les dispositions du moment.

De trois heures à six, les dames, s'il fait très-chaud, se réuniront sous les tilleuls du jardin en un cercle aussi nombreux que possible, un ouvrage de tapisserie, de broderie ou tout autre que j'ignore sera le motif apparent de l'assemblée, je ne puis dire la raison vraie sous peine d'être accusé de médisance. Les hommes se promèneront, trouveront facilement le moyen de s'occuper.

Les rhumatisants et en général toutes les personnes endolories feront bien de se promener à l'ombre, dans les endroits seulement qui ont été visités déjà par le soleil; à plus forte raison les

9

personnes qui s'assoient et séjournent plusieurs
heures au même endroit. On raconte plaisamment
l'histoire d'une dame venue à Bourbonne pour
y accompagner son mari paralysé. Chaque jour
ce couple s'asseyait dans l'endroit le plus abrité
de l'allée des tilleuls et y passait l'après-dîner.
Le mari guérit fort bien ici, mais sa femme
y contracta des rhumatismes qui l'amènent chaque année à Bourbonne. Son mari l'accompagne
à son tour. Ils s'assoient aujourd'hui en plein
soleil de juillet, vous les reconnaîtrez à ce signe.

Il est bon d'engager certains malades à placer au
soleil, dans l'après-midi, leurs membres paralysés
ou douloureux, le reste du corps demeurant dans
l'ombre. Je ne doute pas que ce moyen, aussi simple que facile à employer, ait rendu service à un
grand nombre de mes clients paraplégiques. Il va
sans dire que si les membres sont ordinairement
refroidis, le *bain de soleil* sera plus efficace encore,
il ne devra pas se prolonger trop longtemps.

Après le dîner qui a lieu de six à sept heures, je
conseille une promenade, puis une réunion générale au salon-des bains ; la danse, la musique,
sont des distractions que je ne recommanderai
jamais assez. S'il fait un temps supportable, n'oubliez pas les excursions que j'ai indiquées, à pied

ou en voiture, elles favoriseront singulièrement l'amélioration demandée aux eaux.

Hygiène consécutive à l'usage des eaux. — Rentrés chez eux, les malades sont pressés de mettre ordre à leurs affaires négligées pendant leur absence, ils se donnent plus de mouvements que n'en comporte la position particulière où ils se trouvent.

Je divise en deux périodes le temps qui s'écoule après le départ de Bourbonne. Dans la première, les eaux continuent à agir, leurs effets consécutifs sont tellement notoires que personne ne les nie plus. Qu'ils soient ou non le résultat de l'amélioration de l'état général que nous manquons rarement ici, peu importe, quand ils doivent se produire, c'est immédiatement après le retour; ils ne se font guère sentir que pendant un temps égal à celui de la cure thermale. Cette première période est l'époque du repos physique et moral et surtout des précautions hygiéniques. En même temps, on devra renoncer à tout traitement actif; c'est seulement dans la seconde période, quand la maladie est livrée de nouveau à elle-même, que le traitement interne, les bains sulfureux, l'électricité, etc., pourront être employés avec fruit.

TROISIÈME PARTIE

THÉRAPEUTIQUE. — MALADIES TRAITÉES

———✦———

CHAPITRE PREMIER

INDICATIONS ET CONTRE-INDICATIONS DU TRAITEMENT MINÉRAL

J'ai dit que les eaux minérales de Bourbonne étaient toniques reconstituantes, excitantes générales, et altérantes.

Cette simple énonciation indique immédiatement le rôle qu'elles sont appelées à remplir dans la thérapeutique.

En effet, quelles sont les affections qui comportent cette triple action ? Quelles sont les maladies qui nous présentent un appauvrissement marqué de la constitution avec indication d'un traitement reconstituant ? Où trouverons-nous cette atonie persistante dont une vive excitation seule peut triompher ? Et ce sang épais dont la circulation trop lente nécessite l'usage des altérants ? Où trouverons-nous tout cela, sinon dans les maladies chroniques.

Les progrès de l'hydrologie médicale sont tels depuis vingt ans, qu'il n'existe en quelque sorte pas une affection chronique qu'on ne puisse améliorer par l'emploi des eaux minérales. J'ai indiqué en commençant ce livre la spécialisation actuelle des différentes stations, j'invite le lecteur à s'y reporter pour vérifier l'exactitude de cette assertion.

Grâce à une observation médicale attentive secondée par des inductions sérieuses tirées des sciences physiques et chimiques, grâce aux travaux de nos devanciers et aux conseils de nos contemporains, nous nous croyons en mesure d'établir une nosographie à peu près complète des affections qui pourront trouver à Bourbonne soulagement et guérison. Le cadre est-il définitif? C'est douteux. Quelques maladies que nous recevons aujourd'hui trouveront peut-être mieux demain en France ou en Allemagne, certaines autres plus complètement étudiées seront sans doute dirigées sur notre station et en recueilleront les précieux effets.

Rappelons-nous toujours en commençant un

traitement minéral qu'il est impossible d'améliorer
un état local dépendant d'une affection chronique,
sans avoir amélioré d'abord l'état général. Souve-
nons-nous aussi que quatre maladies constitutionnelles primordiales imprègnent l'organisme de leur
cachet spécial. Ce sont :

1° L'arthritisme.

2° La scrofule.

3° L'herpétisme.

4° La syphilis.

Ces maladies procèdent toujours de la même façon : de la périphérie au centre, de la peau aux muscles, des muscles aux os et aux viscères. Leur gravité s'accentue chaque jour, si un traitement
reconstituant prolongé n'entrave pas leur marche.

Les accidents primaires de la syphilis et de la
scrofule par exemple ne sont-ils pas semblables,
ou peu s'en faut : ulcère à la peau d'une part, impétigo de l'autre. Les accidents secondaires, gommes, et chez les autres suppurations des ganglions
lymphatiques. Les accidents tertiaires, carie dans
les deux cas.

Ces maladies sont tellement connexes qu'il est
souvent difficile de les distinguer dans leurs manifestations ; les vices strumeux, syphilitiques, étant
de nature similaire, seront traités au moyen de

médicaments semblables, spécifiques, et que les
eaux de Bourbonne contiennent par excellence.
J'ai nommé les altérants de premier ordre : chlorure de sodium, iode, brôme, arsenic, etc. Ces
médicaments dits altérants, agissent spécialement
sur les maladies chroniques sus-désignées en dé-
truisant le principe morbide, en poursuivant dans
le sang chaque atôme toxique de ces maladies
quasi virulentes. Il y a spécificité, contre-poison,
si on veut, et cette action est d'autant plus efficace
qu'elle agit à dose légère, répandue sur une surface immense par les bains et la boisson, dont
l'action éliminatrice sera lentement progressive.

La preuve de ces effets, ils sont dans les résultats du traitement. Que m'importent les cornues
et les alambics des chimistes ; les doses, milligrammes ou centigrammes? Ce qui m'importe,
c'est d'améliorer ou de guérir les personnes qui
se confient à mes soins.

Ars tota in observationibus, a dit le père de la
médecine. Il y a trente ans, élève de Rostan, de
Bouillaud, organicien convaincu, je riais beaucoup
des maladies constitutionnelles; aujourd'hui je sou-
ris de mes vingt ans.

Quand vous verrez chez un individu bien bâti,
une fracture, une luxation, une entorse qui n'ont

pas guéri, avec les traitements ordinaires et dans le temps voulu, cherchez derrière ; vous trouverez dans les origines de votre malade, ou dans les antécédents de sa vie, la cause des difficultés que son médecin a rencontrées, malgré tout son savoir et ses meilleurs soins.

Je trouve dans mes observations un cas remarquable et bien probant de ce que je viens d'avancer.

En 1880, M. H..., jeune capitaine du plus grand avenir, est envoyé à Bourbonne, à l'hôpital militaire, pour y être soigné d'une entorse du pied, datant de trois ans, et survenue à la suite de chute de cheval. Ce jeune homme est d'apparence superbe et n'a jamais eu la syphilis. Il a été vu et conseillé dans sa cure par les plus grands chirurgiens de ce temps, rien n'y fait, son articulation tibio-tarsienne ne se libère pas, toujours même empâtement, mêmes difficultés dans la marche.

Après dix minutes de conversation et d'examen, je n'hésitai pas à dire à mon client : vos parents sont rhumatisants ou goutteux ; je ne trouve nulle part chez vous les circonstances qui entretiennent le mal, elles sont derrière. — Je ne me trompais pas ; le père de M. H... passe la moitié de sa vie dans son lit, retenu par des accès de goutte qui

9.

datent de trente ans, antérieurs par conséquent à la naissance de son fils.

L'application méthodique des eaux de Bourbonne peut et doit améliorer ou guérir les maladies suivantes :

MALADIES DIATHÉSIQUES OU CONSTITUTIONNELLES

1ʳᵉ CLASSE LYMPHATISME.	PEAU ET MUQUEUSES	Dartres. Ulcères. Ophthalmies. Angines.
	GANGLIONS	Adénites.
	OS' ET PERIOSTE	Ostéite. Periostite. Carie. Nécrose. Otorrhée. Ozène. Rachitisme.
	ARTICULATIONS	Arthrite. Tumeurs blanches. Luxations spontanées. Hydarthroses.
	VISCÈRES	Engorgements. Congestions.
2ᵉ CLASSE RHUMATISME		Musculaire. Articulaire. Goutteux.
3ᵉ CLASSE AFFAIBLISSEMENT ORGANIQUE		Anémie. Diabète. Epuisements par déperdition organique. Affaiblissements suites de fièvre grave.
4ᵉ CLASSE EMPOISONNEMENT		Syphilis. Empoisonnement paludéen. Par le plomb. Par le cuivre.

II MALADIES DES CENTRES OU DES CORDONS NERVEUX	1ʳᵉ CLASSE DÉPRESSION OU PARALYSIE	Hémiplégie. Paraplégie. Paralysie générale. Paralysie localisée.
	2ᵉ CLASSE TROUBLE FONC-TIONNEL	Ataxie.
	3ᵉ CLASSE EXAGÉRATION OU NÉVRALGIE	Faciale. Sciatiqne. Intercostale, etc.

III MALADIES CHIRURGICALES. TRAUMATISMES.	Entorses. Luxations. Fractures. Contusions. Blessures. Cicatrices. Congélations. Ankyloses. Hydarthroses.

Contre-indications
du traitement minéral.

Avant d'étudier les maladies qui trouveronl à Bourbonne un traitement choisi, j'indiquerai les états morbides ou autres qui contre-indiquent formellement l'usage de nos eaux.

L'état de santé, d'abord, peut être désagréablement troublé par des bains et des douches intempestives, trop longuement ou trop longtemps continuées. Que les personnes amies ou employées par les vrais malades prennent en une saison cinq

ou six bains tièdes ou frais et courts et même
quelques douches, je n'y vois aucun inconvénient,
mais elles se tromperaient étrangement si elles
pensaient faire provision de santé en suivant un
traitement complet.

Parlerai-je des affections aiguës ? Tout le monde
sait qu'elles n'ont rien à faire aux eaux thermales.

Il faut attendre dans les maladies la période
d'état chronique ; quant à la troisième, le déclin,
nous espérons bien en créer ici le commencement
et apprendre un peu plus tard qu'elle est arrivée à
son terme, la guérison.

En santé, au début, pendant et immédiatement
après une affection aiguë, l'usage continu des
eaux peut être regrettable.

Les maladies organiques du cœur et des gros
vaisseaux, du poumon et de l'estomac, à moins
qu'elles n'aient une origine rhumatismale ou gout-
teuse, n'ont rien à faire à Bourbonne. Les hydro-
pisies, les névroses graves, le ramollissement cérébral, pas davantage. Le tact du médecin ordinaire
l'aidera mieux que tout ce que je pourrais dire, à
discerner l'opportunité du voyage.

Il existe certaines affections, des paraplégies
surtout, arrivées déjà depuis plusieurs années à
l'état chronique, et cependant accompagnées en-

core d'une sorte de fièvre permanente, exagérée le
soir. Les malades de cette catégorie ont peu ou pas
d'appétit, nulle résistance contre le froid, le chaud
ou la fatigue, les fonctions s'exécutent mal ou irré-
gulièrement. Pour les personnes placées dans ces
conditions malheureuses, les eaux sont expressément contre-indiquées, les voyages d'aller et de
retour épuisent ces malades qui ne peuvent prendre ici que des douches insignifiantes, trop
courtes et trop faibles pour amener la moindre
amélioration.

CHAPITRE II

MALADIES TRAITÉES

1° Lymphatisme.

Le tempérament lymphatique exagéré peut donner lieu, dans certaines circonstances particulières,
à toutes les affections que j'ai énumérées et qui
constituent dans le tableau précédent la première
classe de maladies traitées à Bourbonne.

Le tempérament lymphatique domine chez les
jeunes gens ; on le trouve en général dans les races
du nord, celles qui ne sont pas chaque jour vigoureusement chauffées par le soleil, ce grand excita-
teur des êtres, plus sûrement encore dans les familles méridionales, subitement transplantées dans
les climats humides et froids.

Le lymphatique a les cheveux blonds ou roux

plutôt que noirs, la peau blanche, souvent d'une
finesse et d'une transparence exquises, avec un
incarnat qui donne à certaines jeunes filles une
beauté exceptionnelle. Le lymphatisme s'annonce
dans la première enfance par de l'impétigo, des
gourmes et gales de lait, plus tard par des enge-
lures, les conjonctives deviennent rosées, les yeux
chassieux, les paupières collées le matin, les cils
rares, le nez gros, l'enchifrènement facile. Les lèvres sont fortes et pâles, les dents superbes mais
friables, les articulations grosses, les membres
ronds sans reliefs, les muscles flasques et incapa-
bles d'un effort soutenu. Si, à ce portrait, s'ajoute
l'engorgement des ganglions du cou, si une des
manifestations que j'ai dites se prépare, médecins
n'hésitez plus, envoyez à Bourbonne.

Les eaux chlorurées fortes, dont Bourbonne est
la plus haute acception, agiront toutes efficacement
contre le lymphatisme en activant la nutrition, en
augmentant le mouvement d'assimilation et de désassimilation qui s'effectue en quelque sorte à chaque seconde dans chaque molécule du corps. Leur
action tonique et excitante générale se développera
dans toute son étendue si on prend le soin de recommander un traitement thermal prolongé, une
alimentation choisie et des exercices réglementés.

Il y a vingt ans, les scrofuleux riches traver-
saient tous le Rhin ; ils se rendaient à Nauheim,
Kreuznach, etc. Il semblait aux médecins français
que la nature, qui a placé partout le remède à côté
du mal, ne pouvait l'avoir mis dans ce cas particulier ailleurs qu'en Allemagne.

Depuis, les études hydrologiques se sont com-
plétées, le goût de l'exotique a diminué, on s'est
convaincu enfin qu'à Bourbonne, Balaruc, Bourbon-l'Archambault, la Bourboule, Uriage, les résultats étaient égaux, sinon supérieurs à ceux que
fournissait l'étranger.

Que la scrofule soit subaiguë et sthénique ou
chronique et torpide, que ses manifestations se
produisent chez des individus sanguins ou franchement lymphatiques, les eaux de Bourbonne
sont indiquées. Le traitement variera d'intensité
suivant les cas, c'est au médecin à juger les malades et à estimer les applications qui leur conviennent.

Il est possible de changer un tempérament avec
du temps, de la patience et un traitement bien dirigé. Les tempéraments sanguins, nerveux, bilieux
alliés au tempérament lymphatique sont excellents,
le tempérament lymphatique pur est médiocre,
exagéré il devient détestable.

En effet, il donne à l'organisme un cachet déplorable de faiblesse, aux affections une durée interminable et une forme désastreuse. Ajoutons encore la transmission par hérédité de toutes ces dispositions.

Un père de famille, un médecin soucieux de la santé des personnes qui lui sont confiées, luttera énergiquement contre cet état qui n'est ni la santé, ni la maladie, mais qui peut devenir l'un ou l'autre selon la direction qui lui sera imprimée.

Les eaux de Bourbonne sont excellentes pour aider à cette transformation désirable, leur emploi méthodique rendra les plus grands services, on l'ignore trop. Le traitement sera long, il devra être interrompu plusieurs fois ; trois saisons de vingt-et-un jours chacune me semblent nécessaires pour planter les premiers pieux d'une barrière solide, qui deviendra infranchissable aux manifestations scrofuleuses après deux ou trois années de soins bien entendus.

Les enfants ou jeunes gens lymphatiques dirigés sur Bourbonne se muniront d'une vaste chambre au midi ou au levant, au premier étage ; ils se lèveront de bonne heure et prendront un bain prolongé et tiède, un grand verre d'eau ensuite, une douche courte et chaude et encore un ou deux

grands verres d'eau. En rentrant chez eux, vers
sept heures, ils déjeuneront légèrement avec des
œufs ou de la viande froide, arrosée de vin généreux ; ils se promèneront ensuite au soleil jusqu'à
l'heure du déjeuner de la table d'hôte. Il n'y a aucun inconvénient à faire suivre le déjeuner d'un peu
de café ou de liqueur. Je vois un immense avantage au plaisir que procure la vie en commun.
Donnez à vos commensaux et recevez d'eux la
plus grande somme possible de plaisir et de distractions.

Aux heures les plus chaudes de la journée,
jeunes gens qui vous êtes levés de bon matin,
reposez-vous, dormez de une heure à trois. Puis
allez au jardin des bains, et, en passant devant la
buvette, n'oubliez pas de boire encore un verre
d'eau, toujours le grand ; promenez-vous ensuite
lentement ; après le dîner, réunissez-vous au salon
des bains, dansez, chantez, amusez-vous autant
que vous le pourrez jusqu'à dix heures, je permets
onze heures, mais le jeudi et le dimanche seulement.

Croyez bien que sous une forme légère, je vous
donne des conseils sérieux.

Du plaisir, des promenades à pied et en voiture,
de l'exercice sans fatigue. Insistez, je le répète en-

core, sur le bain qui durera une heure et tiède,
le couper, s'il vous excite trop ; sur l'eau en boisson, buvez suivant l'âge et la constitution de un
quart à un litre et demi et même deux litres, si
cette dose peut être supportée. Quant à la douche,
dix minutes suffiront si elles sont bien employées,
c'est-à-dire avec un jet vigoureux et l'eau à 38° ou
40°.

MANIFESTATIONS DU LYMPHATISME.

Les manifestations du lymphatisme s'exercent
sur tous les organes, il n'en est pas un dont elles
ne puissent profondément modifier les fonctions.

La peau et le tissu cellulaire sous-cutané présentent souvent des éruptions et des ulcérations
particulières ; le traitement doit être dirigé contre
les causes, contre l'origine même de l'affection qui
est le tempérament lymphatique, je viens d'en parler, je n'ai donc pas à y revenir.

Les médecins en général ont bientôt réglé le
compte des dartres, de l'*eczéma,* pourrait-on dire,
car cette maladie tient les trois quarts de la place
des affections de la peau. Pour les dartres humides
ils conseillent les bains d'amidon, le sirop d'iodure
de fer, pour les dartres sèches les bains sulfureux,
l'arsenic. Quand le résultat n'est pas suffisant, ils

expédient leurs clients à la Bourboule. Le plus
souvent nous leur serions au moins aussi utiles.

Les dartres strumeuses s'améliorent parfaitement à Bourbonne, l'eczéma et l'impétigo, le psoriasis et l'herpès chroniques, le lupus et le rupia,
trouvent dans nos eaux un traitement rationnel et
efficace. J'en dirai autant des ophtalmies et des
angines scrofuleuses. Les applications locales, sans
être insignifiantes, sont loin d'égaler en importance le traitement général, on ne devra pas
cependant les négliger. La douche en arrosoir,
promenée doucement à la surface des ulcères, déterminera une excitation inflammatoire favorable ;
sous son influence la plaie prendra un meilleur
aspect et se couvrira de bourgeons charnus, les
bords se détergeront et s'abaisseront en même
temps que le centre s'élèvera progressivement en
bonne voie de cicatrisation.

Voici quelques observations de *maladies de la
peau* de natures diverses, traitées avec succès à
Bourbonne.

1874. M. S..., prurigo, datant de quatre ans,
ayant résisté à tous les traitements rationnels et
en particulier aux sulfureux, a été guéri à Bourbonne après quarante jours de traitement.

1875. M. R..., agent-voyer. Psoriasis accompa-

gnant une ataxie locomotrice. L'ataxie a été légèrement améliorée, mais le psoriasis s'est trouvé
guéri après deux saisons à Bourbonne.

1876. M. Doin, médecin-major à l'hôpital, m'a
fait voir un soldat atteint d'eczéma chronique,
presque congénital, puisqu'il est survenu à l'âge
de trois ans et se trouve dans toute la famille
de ce jeune homme. Après quinze bains ordinaires
et quinze bains sulfureux, le suintement est remplacé par des squames. L'amélioration s'est main-
tenue. M. Doin a vu l'an dernier un militaire atteint de pityriasis versicolor guérir parfaitement à
Bourbonne.

1876. Mlle Reine C..., a fait usage des eaux de
Bourbonne en 1874 et 1875, pour un prurigo très-
ancien et généralisé. En 1876, elle obtient le
succès ordinaire, c'est-à-dire que les démangeai-
sons sont calmées au départ et que l'amélioration comme précédemment va durer quatre ou
cinq mois.

1877. M. H.... Eruption de furoncles et anthrax
presque perpétuelle. Pendant le séjour à Bourbonne, les manifestations à la peau ont été insignifiantes et j'ai appris depuis que l'amélioration se
maintenait.

1889. J'ai donné des soins à M. J..., envoyé par

le docteur de Mirebeck de Saint-Dié, pour un rupia réfractaire à tous traitements ; il a disparu assez facilement ici.

Muqueuses. Bien avant que les docteurs Tillot et Emond ne recommandent les eaux de Saint-Christau et du Mont-Dore contre le catarrhe nasal, nous combattions très efficacement avec de fines douches, des lavages et injections, l'ozène, l'otorrhée, l'amygdalite chronique, etc. ; avec les appareils de pulvérisation, le bain local au moyen du *speculum* fenêtré, la leucorrhée et les ulcérations du col utérin. Aujourd'hui nous faisons mieux encore avec le perfectionnement apporté dans notre outillage.

Adénites. Les eaux chlorurées dans les cas légers produisent la résorption des engorgements ganglionnaires ; elles font quelquefois disparaitre spontanément les abcès sous-cutanés, elles activent toujours leur marche trop lente. Quand le pus est évacué, elles rendent facile la cicatrisation régulière du foyer et des fistules. Il peut être utile de faire usage de fomentations d'eau et de cataplasmes de boue minérale, c'est au médecin à en estimer l'opportunité.

Les systèmes osseux et articulaire présentent trop souvent des altérations nombreuses et gra-

ves. Il est rare que les malades de cette catégorie
n'aient pas essayé déjà les traitements les plus
énergiques, il faut donc savoir qu'il y a ici des difficultés sérieuses mais non insurmontables.

L'*ostéite* et la *périostite* non suppurés demandent une application délicate et une surveillance
active. Le travail inflammatoire sera observé de
très près. Le médecin prendra garde qu'il ne
s'exagère sous l'influence des eaux. De fréquents
repos seront jugés nécessaires quand les douleurs
augmenteront, surtout pendant la nuit, et encore
si la partie affectée devient plus chaude ou plus
gonflée. En 1890, j'ai fait appliquer nos douches
à deux jeunes gens atteints de *mal de Pott*, avec
un résultat excellent.

La *carie* et la *nécrose* exigent un traitement plus
énergique, les précautions seront indispensables
toujours, mais moins sévères que précédemment.
La grande abondance de la suppuration ne présente pas de dangers, il est même utile de la provoquer, aussi j'ordonne sans crainte des douches
en arrosoir et même à plein canal, en surveillant
leur action sur les parties malades. L'inflammation subaiguë, déterminée par l'action excitante
des eaux, facilitera singulièrement l'élimination
des esquilles, sans laquelle la guérison serait

impossible ou illusoire. Les fomentations d'eau
minérale refroidie et les cataplasmes de boue
rendront des services si on a la patience de prolonger la durée de leur application. Quoiqu'on
fasse, les manifestations locales seront modifiées
dans les mêmes proportions que l'état général lui-
même.

Le *rachitisme* et l'*ostéomalacie* sont rares à
Bourbonne comme partout, j'en ai vu cependant
des exemples, et, qui plus est, une certaine amélioration. L'eau à l'intérieur, à dose purgative,
tous les deux ou trois jours, le bain et la douche
prolongés, avec des toniques en excès, donneront
quelquefois de bons résultats.

Tumeurs blanches. Les affections de ce genre
se divisent en deux catégories bien tranchées,
les unes siègent uniquement dans les tissus
fibreux et séreux de l'articulation, c'est le premier degré de la maladie, les os sont intacts et
ne se prendront qu'au bout d'un temps plus
ou moins long, et par suite de l'extension de
proche en proche du travail inflammatoire. Ces
gonflements peri-articulaires guérissent assez
facilement à Bourbonne, quand ils ne sont pas
trop anciens et que la constitution n'est pas trop
détériorée.

Lorsque les os eux-mêmes sont enflammés, le
but du médecin doit tendre vers une ankylose rapide, afin d'abréger la durée de l'affection qui,
prolongée, compromettrait presque toujours la vie
du malade.

Il n'est pas facile de distinguer, au début, ces
deux sortes de tumeurs blanches qui changent, du
reste, de physionomie dans un temps souvent fort
court. On doit chercher dans les antécédents, la
constitution, le tempérament, des motifs de poser
un pronostic plus ou moins favorable. Dans les
deux cas, il faut tâter avec des douches légères la
susceptibilité de la partie, on augmentera progres-
sivent leur durée et leur force ; souvent, au bout
de quinze jours ou trois semaines de traitement,
le médecin et le malade constatent une diminution
dans le volume de l'article et la possibilité de mouvements nouveaux.

En écrivant ces lignes, j'ai présent à la mémoire
le souvenir d'une jeune bonne, à laquelle j'avais
appliqué, sans succès, pour une tumeur blanche du
genou, de nombreuses pointes de feu. Je l'engageai
à faire usage des eaux ; elle prit des bains et des
douches prolongées avec un résultat merveilleux ;
au bout d'un mois elle était guérie, à peine s'il
restait un peu de raideur et de gonflement dans

10

l'articulation. On conduisait cette fille en petite voiture quand elle commença son traitement, après la dixième douche elle put faire le trajet de son domicile, fort éloigné, à l'établissement. M. Renard, qui vit cette malade, fut, comme moi, heureusement surpris du succès qu'elle obtint.

Quand il y a suppuration des tissus, le pronostic est grave mais non désespéré. J'ai vu plus d'une fois, à l'hôpital militaire, des résultats incroyables, produits par l'application des eaux. De nombreuses fistules, entretenues par des lésions osseuses profondes, se tarissent chaque année, à Bourbonne, et une guérison, au moins relative, remplace souvent la carie, qui menaçait la vie des malades dans un avenir prochain. Ceux qui ont vu M. F.., de Creil chez Chapelle, en 1883, conserveront, j'espère, un souvenir impérissable de sa guérison merveilleuse.

Les *coxalgies* que nous recevons à Bourbonne méritent mieux le nom de luxations spontanées, de J. L. Petit, que celui de tumeur blanche ou d'arthrite de l'articulation de la hanche. En effet, tout le drame inflammatoire est passé lorsque les malades, après un séjour de plusieurs mois au lit, sont envoyés aux eaux; il leur reste un grand affaiblissement de la constitution, entretenu ou

non par des abcès, caries et fistules ; peu de douleur, mais presque toujours un raccourcissement
plus ou moins prononcé du membre inférieur.

Devant une situation pareille que nous demande-
t-on ? De relever la santé générale ; de donner aux
muscles fessiers et à ce qui reste de ligaments la
force suffisante pour fixer définitivement la tête
fémorale au point nouveau qu'elle occupe sur le
bassin et consécutivement enrayer le raccourcissement.

Et ici un bon conseil pour les mères :

La coxalgie est, plus qu'on ne le croit, le fait
d'une sorte de traumatisme chronique, consistant
dans des marches forcées que les parents ou les do-
mestiques exigent des petits enfants. Rien d'attris-
tant pour moi comme le spectacle de petits enfants
traînés par la main, enlevés à moitié de terre par
des bonnes en retard. Voilà la cause de l'usure des
surfaces articulaires, des relâchements musculaires qui préparent au premier choc le résultat final,
la coxalgie.

L'*hydarthrose* se trouve bien des bains et surtout des douches ; les étuves, le massage, une
compression méthodique seront les adjuvants indispensables du traitement thermal, qui sera toujours ici conduit, avec une sage prudence.

Les engorgements des viscères seront combattus efficacement par l'usage prolongé de l'eau à l'intérieur jusqu'à dose purgative. Les douches ascendantes devront également être judicieusement appliquées ; enfin il sera quelquefois utile d'employer la douche par réverbération sur le ventre et les flancs.

M. Kuhn, de Niederbronn, recommande les eaux chlorurées à faible dose, c'est-à-dire à dose altérante et des bains prolongés contre les calculs biliaires; ce médecin a obtenu de remarquables succès par la méthode qu'il indique. Il est manifeste qu'à Bourbonne nous serions en droit d'attendre des effets analogues. J'ai eu en 1872 l'occasion de constater les bons effets de l'eau de Bourbonne en boisson et bains chez une dame qui s'est débarrassée ici de plusieurs calculs biliaires. Depuis, notamment en 1882 et 1883, nos eaux alcalines ont été utilisées, sous ma direction, par un certain nombre de malades qui ne pouvaient ou ne voulaient pas aller à Vichy. Les résultats ont été presque toujours satisfaisants. Je n'en citerai qu'un cas. Le D' Cadiot de Vandeleville (Meurthe) m'a confié cette année la direction d'une très intéressante malade âgée de 18 ans, portant au niveau de l's iliaque une tumeur du volume du poing, jugée stercorale. Cette malheureuse fille n'allait à la garde-robe que tous les dix ou quinze jours, avec des douleurs atroces. Elle prit ici des bains longs, des douches légères, considérablement d'eau à l'intérieur pendant deux saisons, et vit disparaître progressivement la tumeur que j'avais considérée dès le début comme ganglionnaire mésenterique, comprimant l'intestin jusqu'à l'obstruction.

En terminant ce premier chapitre des maladies constitutionnelles, voici une considération essentielle dans le traitement des maladies chroniques dont le lymphatisme est la plus haute acception.

On a l'habitude, en France, surtout, de s'occuper seulement des maladies venues ; quant à celles qui menacent, on aura bien le temps d'y penser plus tard. C'est là une grande erreur. Le traitement préventif des affections chroniques devrait être surtout employé, les eaux minérales feraient fonction d'une assurance parfaite contre les manifestations d'un tempérament héréditaire ou acquis. Une saison, chaque année, passée à Bourbonne, à Salins ou ailleurs, referait merveilleusement les constitutions prédisposées, et éteindrait souvent le germe de maladies graves et longues.

Chefs de famille et médecins, qui avez charge de

10.

santés compromises, réfléchissez à ceci : il est
peu de maladies constitutionnelles qui ne puissent
être enrayées par l'usage d'eaux minérales bien
choisies. Considérez surtout l'hydrologie comme
une science qui se rattache bien plus à l'hygiène
qu'à la pharmacologie.

2° Rhumatisme.

De toutes les maladies qui s'observent à notre
station, la plus fréquente est, sans contredit, le
rhumatisme chronique.

Qu'il siége dans les articulations ou les muscles
et les parties fibreuses, qu'il soit localisé ou erratique, accidentel ou héréditaire, externe ou interne,
simple ou composé, le rhumatisme est une affection extraordinairement commune. Il s'améliore à
Bourbonne avec une telle facilité, j'allais dire certitude, que l'on s'explique sans peine la vogue de
nos eaux.

Le rhumatisme chronique est une entité morbide
souvent indéterminée, son nom même laisse dans
l'esprit de celui qui l'emploie un certain vague
facile à comprendre, car on a décoré du nom de
rhumatisme une quantité de maladies qui ont

beaucoup de rapports quant à l'origine, mais qui ne se ressemblent guère quant aux manifestations. Il y a en effet une différence considérable entre un rhumatisme qui se traduit uniquement par une douleur localisée en un point quelconque, et un autre qui a produit une tuméfaction énorme, avec déformation et altération articulaires, lésions qu'on rencontre trop souvent ici. Il existe d'infinies variétés entre ces deux manifestations, dont la gravité dépend de l'intensité du mal et souvent du tempérament du malade.

Les rhumatismes que nous recevons à Bourbonne sont toujours chroniques, nullement accompagnés de fièvres ou de désordres graves dans les viscères, particulièrement au cœur. Ils se traduisent par de la douleur dans les muscles ou les articulations avec ou sans gonflement des parties atteintes, ils sont presque toujours sérieux, occasionnés par le froid et dans tous les cas s'exacerbant quand cette cause originelle se produit de nouveau.

L'hérédité est une cause souvent invoquée, mais presque toujours incertaine ; si elle est évidente le pronostic est grave, car toute maladie chronique héréditaire est sinon incurable au moins difficile à déraciner de l'organisme; elle fait corps avec la

constitution et il n'est pas d'obstacle qu'elle ne
présente aux moyens thérapeutiques, qui entravent souvent sa marche, mais l'anéantissent rarement dans son germe. Quand, à l'hérédité manifeste, s'ajoute la durée, l'ancienneté de l'affection,
on peut dire que les fondations sont solides et que
le traitement sera long et pénible. Les moyens
termes ne seront plus de saison, mais bien la violence ; la brutalité, si je puis m'exprimer ainsi,
devra diriger le traitement : aux grands maux les
grands remèdes.

Les rhumatismes qui ont fait élection de domicile chez les personnes lymphatiques seront admirablement combattus à Bourbonne ; ce sont les
plus graves, car ils sont presque toujours accompagnés d'appauvrissement général de l'économie ;
le retour facile de l'influence atmosphérique est
encore à craindre ; n'ayant pas à combattre une
vive résistance organique, elle agira plus sûrement et plus profondément. Ceux qui affectent les
tempéraments sanguins ou nerveux se trouvent
également bien de l'usage des eaux, les résultats
seront plus satisfaisants encore ; la constitution
étant moins atteinte, l'amélioration sera plus facile
à produire.

Si un grand nombre de rhumatisants reviennent

chaque année à Bourbonne, c'est que les mêmes causes qui ont produit et entretenu la maladie continuent à agir. J'ai connu un employé supérieur du ministère de la guerre qui est venu pendant dix ans à Bourbonne pour une paralysie incomplète des deux jambes. Chaque année l'amélioration obtenue ici s'évanouissait en janvier ou février suivants. Après de minutieuses recherches, je finis par apprendre que le bureau de M. M.... était placé entre une porte et la cheminée de son cabinet, de sorte que le feu était soufflé à travers ses jambes. Je l'engageai à changer son bureau de place, à mettre ses jambes dans une vaste chancelière bien chaude, moyens qui ont amené une prompte guérison. M. M..... quand je le vis pour la première fois portait à la légion lombaire quatre jolies cicatrices résultant de l'application de boutons de feu.

Le rhumatisme est une affection constitutionnelle qui se traduit par des symptômes de congestion sur des organes souvent opposés. Les articulations sont endommagées chez celui-ci d'une douloureuse façon, chez cet autre ce sont les muscles des lombes, de l'épaule, du cou ou de la paroi abdominale. Un courant d'air, une sensation légère de froid, sera suffisante pour produire, chez

des individus prédisposés, des manifestations différentes. La douleur locale, les troubles fonctionnels, attireront certainement l'attention du médecin,
mais qu'il n'oublie jamais la diathèse, la prédisposition permanente de l'organisme tout entier, aussi
le traitement devra-t-il être autant général que local.

La congestion, et à un degré plus avancé l'inflammation sont les formes graves sous lesquelles
se traduit le rhumatisme, mais il en existe bien
d'autres. En effet, quel est le rhumatisant qui ne se
plaint pas de douleur de tête, de migraine, de
trouble dans les fonctions du foie, de l'estomac, de
l'intestin, d'hémorrhoïdes, et que sais-je encore. Il
semble que tous les maux connus et inconnus
s'appesantissent sur ces constitutions déplorables.
L'excitation des eaux minérales fortes est indispensable pour diminuer ou faire disparaitre définitivement cette lenteur dans le fonctionnement
organique, elles seules pourront réveiller, en les
tonifiant, les rouages de la mécanique humaine,
prêts à s'engager dans cette gangue désastreuse
qu'on appelle le rhumatisme. Plus tard, quand
l'être tout entier a subi une altération profonde,
causée par des manifestations répétées, durables
et insuffisamment traitées, quand la cachexie rhumatismale se révélera avec tous les désordres qui

l'accompagnent, dans ce moment solennel où s'agite une question de santé, de vie même, les eaux de Bourbonne produiront encore ce miracle de rétablir le stimulus qui manque partout, et sans lequel tout s'éteint et tout meurt.

RHUMATISME ARTICULAIRE

Le rhumatisme articulaire chronique est toujours constitutionnel; presque constamment il affecte une ou plusieurs articulations qui présentent en même temps dans leur voisinage des engorgements particuliers difficiles à méconnaître, par exemple, un épanchement dans la synoviale et autres symptômes frappant tout d'abord un œil exercé. Le rhumatisme chronique, qui ne laisse pas de trace tangible de son existence, est l'exception.

Le rhumatisme aigu est accidentel comme toute franche inflammation, mais s'il passe à l'état chronique, c'est que antérieurement ou postérieurement à l'accès, il s'est produit un trouble réel dans la constitution; il existe dorénavant une épine bien enfoncée dans l'organisme, sous la moindre influence extérieure, elle manifestera sa présence. Est-ce à dire pour cela qu'on ne peut

qu'amender cette maladie et non la guérir? je crois
le contraire; je pense fermement qu'un traitement
bien conduit et des soins hygiéniques prolongés
pourront expulser de l'économie jusqu'à la dernière trace de ce levain désastreux.

Le rhumatisme articulaire chronique est aggravé
par le mouvement et le froid. Les régions endolories peuvent être gonflées et supporter le bain et
la douche; chaudes ou rouges jamais.

Les fonctions s'exécutent assez bien dans le cours
d'un rhumatisme chronique, cependant, quand les
douleurs deviennent trop vives, l'appétit languit et
le soir il se produit un léger mouvement de fièvre.

L'endocardite caractérisée par de la rudesse dans
les battements du cœur, de l'oppression même,
s'accompagnant ou non de légères tendances à la
congestion cérébrale, n'est pas une contre-indication formelle de l'usage des eaux. Il sera utile, par
exemple, d'en surveiller l'application et d'éviter le
contact de la douche avec la paroi gauche de la
poitrine. Sous l'influence du traitement minéral,
les bruits du cœur reprennent souvent leur douceur et le rhytme normal.

Quand le rhumatisme envahit un tempérament
lymphatique, il a une fâcheuse tendance à s'y fixer
définitivement et à produire des engorgements

péri-articulaires, quelquefois même une tumeur blanche si un traitement actif n'intervient pas. Quand au contraire, il se manifeste chez un individu sanguin, il guérit le plus souvent assez vite et ne devient presque jamais chronique.

Il nous arrive le plus souvent de recevoir des rhumatisants lymphatiques affectés de rhumatisme chronique d'emblée, à peine si au début il a existé un mouvement prononcé de fièvre, la forme asthénique domine depuis le début. Le rhumatisme chronique succédaut au rhumatisme franchement inflammatoire est ici l'exception. C'est bien plus à une affection constitutionnelle qu'à une manifestation locale que nous avons affaire ; ce point est capital pour la bonne direction du traitement.

L'amélioration produite par le traitement minéral est quelquefois d'une rapidité excessive. En voici un exemple: Mme B.... de Payns (Aube), est arrivée à Bourbonne avec les deux articulations tibio-tarsiennes, considérablement tuméfiées et douloureuses, c'est le reste d'un rhumatisme généralisé datant de 6 mois. Je mets cette dame au bain seul, sans grand résultat, des douches fines et tièdes agissent beaucoup mieux et à la cinquième les béquilles sont abandonnées, trois semaines après madame B.... partait guérie,

courant aisément avec des articulations normales.

Voici un exemple d'un autre genre qui porte
avec lui son enseignemeut. M. Th. vient à Bourbonne pour un rhumatisme articulaire chronique
des deux articulations tibio-tarsiennes. Ce jeune
homme a eu une blennhorragie il y a 15 mois, et
depuis il se contente d'une goutte militaire gê-
nante, mais peu accusée. Je lui conseille des injections d'eau de roses et de sous-nitrate de bismuth
pendant sa cure thermale, l'écoulement diminue,
mais le gonflement des pieds devient tel que la
marche est impossible. — Nous supprimons les
injections, l'écoulement reparaît et les articles se
dégorgent. Nouvelle expérience du traitement par
le sous-nitrate de bismuth, nouveaux accidents
articulaires. M. Th. est parti cependant avec un
écoulement moindre et une véritable amélioration
de son rhumatisme blennhorragique. J'ai eu à
l'hôpital civil en 1878 un militaire affecté d'arthrite
blennorrhagique de l'articulation du poignet chez
lequel les symptômes inflammatoires étaient en
raison directe de l'abondance plus ou moins
grande de l'écoulement uréthral ; ces faits ne sont
pas rares et s'observent de préférence dans les
hôpitaux militaires.

RHUMATISME MUSCULAIRE.

Il est difficile de distinguer le rhumatisme musculaire chronique d'une névralgie, l'erreur serait du reste peu grave, car un traitement identique est indiqué dans les deux cas. Certaines affections participent de l'un et de l'autre, et méritent bien le nom de névralgie rhumatismale. Quelques auteurs considèrent le rhumatisme musculaire comme une névralgie du muscle ; je persiste à y voir une inflammation de la fibre elle-même. Plusieurs raisons dirigent mon appréciation, je reviendrai sur cette question à propos des applications du galvanisme. Je dirai dès à présent que la contractilité électrique n'est jamais annulée quand la fibre musculaire est saine, et nous verrons plus tard que l'absence totale de contractilité est fréquente dans les muscles rhumatisés depuis longtemps.

Le rhumatisme musculaire est extrêmement douloureux, il condamne trop souvent les malheureux qui en sont atteints à une immobilité permanente, il n'est pas rare même de voir se produire la contracture des muscles et la paralysie du mouvement.

Je n'ai parlé jusqu'ici que de la forme grave du rhumatisme ; quant à celle qu'on nomme trop légèrement la maladie des gens qui se portent bien, elle n'exige que des précautions hygiéniques ; cependant, il est des rhumatisants ordinaires, et nous le sommes, hélas ! presque tous, qui courent les rues pendant de longues années, et se voient un beau jour, par un accès sérieux, forcés de prendre de réelles précautions contre de plus grands maux.

Le rhumatisme musculaire est essentiellement mobile et erratique, il dure un temps relativement assez court dans les muscles primitivement atteints, et passe sans transition dans des régions plus ou moins éloignées, il s'accompagne volontiers de troubles vésicaux et hémorrhoïdaires, signe certain d'une affection constitutionnelle.

J'ai peu de chose à dire sur les manifestations locales du rhumatisme musculaire. Il est fréquent à la *nuque* et souvent difficile à déraciner ; j'ai vu cependant, en 1869, un tambour major qui fut singulièrement amélioré par les eaux et l'électricité, après vingt ans de souffrances.

Le *torticolis* se produit ordinairement pendant le sommeil à la suite d'une impression de froid ou une fausse position. Cet accident, quand il dure plus que de raison, disparaît sous l'influence de douches légères, surtout si on y ajoute le traitement électrique.

Le *lumbago* ou rhumatisme des muscles lombaires est un des plus fréquents. Comme tontes les
affections du même genre, il est soulagé par la chaleur ; l'emploi de la ceinture de flanelle est donc
indispensable. La douche doit être assez vive,
mais il est à craindre qu'elle retentisse sur les
reins et chez les femmes sur la menstruation, il
faut donc surveiller attentivement son application.

La *pleurodynie* siégeant dans les parois thoraciques a beaucoup de ressemblance dans sa marche et ses symptômes avec la névralgie intercostale, le traitement est du reste identique.

La *scapulodynie* affecte surtout le deltoïde, elle
existe quelquefois avec une telle violence qu'il
survient une atrophie marquée des muscles de
l'épaule et la paralysie du bras. Cette complication
que j'ai observée un grand nombre de fois est toujours grave et comporte le traitement le plus
énergique.

J'ai parlé de ce faux paraphlégique militaire dont
le bureau était placé entre une porte froide et la
cheminée d'un ministère, c'est-à-dire chauffée.
Combien d'autres pourrait-on citer ? Ces époux
couchés à deux, l'un tirant la couverture au détriment de son conjoint, qui prend une sciatique ou
une douleur à l'épaule, se consolidant pendant des

mois et des années. Cet autre lisant et prospectant tout l'hiver au coin d'une fenêtre avec un feu bien tirant dans la cheminée, contractant à chaque seconde une surdité, une névralgie faciale, des douleurs qui s'accentuent comme l'épargne dans une tire lire.

Les plus violents et les plus indéracinables rhumatismes sont ceux qui viennent goutte à goutte, sans explosion ni orage, mais lentement, par l'habitude.

RHUMATISME VISCÉRAL.

C'est ordinairement sous forme de gastralgie ou d'entéralgie essentiellement mobiles que se manifeste le rhumatisme viscéral. Il existe ou non, en même temps, des douleurs bien accusées dans les muscles et plus rarement dans les articulations ; souvent encore il y a alternance, les manifestations des douleurs internes et externes se remplacent mutuellement. Dans tous les cas, l'emploi des bains prolongés sera précieux ainsi que l'usage des douches par réflexion.

Si le rhumatisme abdominal devenait grave, il serait urgent de produire une dérivation sur les muscles ou les articles ordinairement malades, mais améliorés provisoirement par l'exagération même des symptômes viscéraux. Dans ce cas il est convenable d'appliquer vigoureusement la douche sur les articulations dégagées trop promptement et des cataplasmes sur le ventre. Les poumons sont souvent aussi le siège de congestions rhumatismales, les rhumatisants sont fréquemment oppressés, leur respiration est quelquefois assez embarrassée pour exiger de prompts secours ; on a même prétendu que la phtisie pouvait être engendrée de toutes pièces par la diathèse rhumathismale.

GOUTTE ET RHUMATISME GOUTTEUX.

Le mot goutte est heureux parce qu'il ne dit rien de la nature de la maladie la plus singulièrement compliquée qui se puisse voir et si extraordinaire que l'imagination la plus excessive se perd dans les méandres de sa genèse comme dans l'expression de ses manifestations.

Tous les médecins de mon âge se souviennent de la bonne humeur de Trousseau quand il voulait prononcer le mot dont Piorry avait baptisé la goutte. Le nom avait une aune et ne disait pas le demi-quart de ce qu'il aurait fallu dire pour désigner convenablement une des plus dangereuses ennemies de l'humanité.

Toutes les manifestations spontanément inflammatoires qui se produisent dans les articulations
grandes ou petites ont la même origine. La goutte
et le rhumatisme sont des maladies sœurs, auxquelles conviennent les mêmes moyens thérapeutiques.

Il y a cinquante ans, on trouvait autant de goutteux que de rhumatisants à Bourbonne ; depuis,
les eaux sulfatées ont été vivement recommandées,
mais les eaux chlorurées ont vu par cela même
disparaître cette importante clientèle, améliorée
pendant des siècles par des eaux qui ont conservé
toutes leurs vertus et qui sont mieux appliquées
aujourd'hui que jadis.

L'arthritis se trouve bien des eaux chlorurées,
je le répète, et la goutte s'amende à Bourbonne,
moins sûrement peut-être que le rhumatisme,
mais d'une façon très-satisfaisante, surtout quand
elle se trouve dans certaines conditions atoniques
spéciales.

On a dit que les causes de la goutte et du rhumatisme étaient différentes : je n'ai nullement la
prétention de le nier, je suis même parfaitement
de cet avis. Ces deux manifestations de l'arthritis
se produisent au détriment l'une de l'autre, suivant
le régime de vie. Certains goutteux seraient sim-

plement rhumatisants, si au lieu de s'asseoir longuement chaque jour à une table plantureusement
servie, ils s'étaient livrés aux rudes travaux des
champs. La goutte est le rhumatisme du riche.
Quant aux troubles viscéraux, ils existent dans
l'une et l'autre affection, plus sérieux dans la
goutte, j'en conviens ; mais observez les urines de
vos rhumatisants, et vous y trouverez presque toujours du sable rouge.

Le rhumatisme goutteux est une affection de l'âge
mûr comme la goutte, mais sévit également dans
les deux sexes ; il fait tout d'abord élection de domicile dans les petites articulations des pieds, des
mains, du poignet, du coude, etc. Un peu plus tard
des concrétions plâtreuses dures et de formes in-
déterminées se développent autour de l'article en-
dolori et gênent ses mouvements. Ce n'est pas la
goutte, mais bien la maladie voisine, elle s'en
distingue par l'absence d'inflammation aiguë, de
chaleur et de rougeur ; les douleurs sont moins exquises pour employer l'expression de Trousseau,
mais plus permanentes.

Le rhumatisme goutteux et la goutte chronique
s'améliorent parfaitement à Bourbonne, surtout si
ces deux maladies sont fixées dans une constitution lymphatique.

11.

Molière a mis en scène un personnage fameux qui se déguise, se grime et se transforme de dix façons différentes pour soulager le coffre-fort du père de son maître, de la forte somme dont celui-ci a un pressant besoin ; aussi quand un son, un souffle traverse l'air, Géronte s'écrie à coup sûr : c'est Scapin.

Médecins mes frères, quand une entorse ne guérira pas dans le délai ordinaire, quand une bronchite résistera à tous vos efforts, quand votre client souffrira au pied ou à la tête, au foie ou au cœur, à l'estomac ou ailleurs, dites-vous toujours : c'est la goutte et vous ne vous tromperez guère, car un goutteux, comme je le répète souvent, est capable de tout.

Le rhumatisme *fibreux*, *noueux*, *ankylosant* et surtout horriblement douloureux, s'améliore généralement avec des bains prolongés. Nos eaux rendent chaque année des services aux malheureux atteints de cette terrible affection. Dans la goutte les articulations s'encroutent d'urate de soude ; dans le rhumatisme noueux ce sont les extrémités osseuses elles-mêmes qui se gonflent et se déforment. Il est la conséquence du froid, de l'humidité permanente, des mauvaises conditions hygiéniques, *morbus-servorum*.

APPLICATION DES EAUX DANS LE RHUMATISME
EN GÉNÉRAL.

Il n'est pas d'affection qui comporte une application des eaux plus différente que les variétés du rhumatisme. En effet, certaines douleurs anciennes nécessitent l'emploi d'un bain et d'une douche à haute température et prolongée ; d'autres au contraire demandent d'infinies précautions dans le traitement minéral ; le rhumatisme articulaire chronique récent par exemple, fixé chez un sujet impressionnable, comporte des ménagements et l'usage des eaux à température indifférente ; s'il est ancien, au contraire, le bain ne sera jamais assez chaud et la douche trop forte ; toute la cure est dans la manière d'appliquer le traitement. Il faut en même temps produire une sudation intense avec l'eau thermale *intus* et *extra*.

L'eau minérale dans le rhumatisme paraît agir par dérivation, elle appelle quand elle est très-chaude le sang à la peau et procure ainsi le dégagement des tissus sous-jacents ; de plus, le massage exercé par la douche est d'une incontestable utilité. Pour ce motif et d'autres encore, la douche fine et chaude est particulièrement utile contre le rhumatisme ; venu par le froid il s'en retourne par

le chaud. Il est souvent convenable de la faire suivre de frictions et de malaxations des parties malades, afin de bien fixer la révulsion produite par
la chaleur et le choc de l'eau sur la peau.

La douche devra être générale dans la plus
grande partie de son application, les dernières
minutes seules seront destinées aux parties endolories, et encore ne laissez pas le jet stationnaire
sur l'articulation ou le muscle malade, car vous
pourriez déterminer une congestion et même une
sub-inflammation dont le moindre inconvénient
serait d'entraver la cure. Il faut exiger du doucheur, je le répéterai toujours, un mouvement
continuel de va-et-vient sur tout le membre, avec
un arrêt à peine marqué sur la région douloureuse.

La douche est ordinairement appliquée uniquement sur la partie malade et dans son voisinage.
Certains médecins paraissent considérer son action comme destinée à combattre la manifestation
diathésique ; quant au bain, ils pensent sans doute
qu'il s'adresse seulement à l'état général. Il y a là
une grave erreur, car la douche autant et plus que
le bain est capable, lorsqu'elle est bien appliquée,
de stimuler l'organisme tout entier ; elle devra
donc être dirigée dans les deux tiers au moins de

sa durée, sur toutes les parties du corps, les dernières minutes seules seront spécialement consacrées aux articulations et aux muscles malades. Je me fonde, pour recommander cette pratique avec autant d'insistance, sur l'impossibilité absolue où l'on est d'améliorer ou guérir une douleur rhumatismale localisée sans avoir préalablement amélioré ou guéri la constitution qui contient le germe, cause de tout le mal.

L'action des eaux, quand elle s'exerce contre le rhumatisme, doit être principalement dirigée sur la peau, c'est là qu'il faut appeler une suractivité de la circulation sanguine ; il faut en même temps que les glandes sudoripares fonctionnent avec énergie ainsi que le système nerveux. Pour produire ces effets divers, la douche et le bain très-chauds sont indispensables ; comme moyen adjuvant précieux, n'oublions pas la flanelle chauffée avec le peignoir, elle prolongera après la douche la sudation cutanée *loco-dolenti.* Il n'est pas de rhumatisant que je ne condamne à la flanelle, presque tous me remercient après en avoir essayé.

Le réveil des douleurs sous l'action du traitement thermal est fréquent, le malade doit s'y attendre, le médecin ne pas le craindre. Cette exacerbation se manifeste en général dans le courant du deuxième septenaire de la cure, du neuvième au douzième jour, plus tôt ou plus tard, suivant l'intensité du traitement. Je la regarde comme favorable ; une fois venue il faut la surveiller de près, diminuer la durée et la thermalité du bain et supprimer la douche, employer même des calmants à l'intérieur, et aucun n'est digne d'être comparé pour les effets au bromure de potassium. Quand cet accès diminue, il faut reprendre le traitement avec douceur et ne recommencer son active application qu'après tous les accidents passés. Les malades s'effraient de ce symptôme qu'ils considèrent comme défavorable, il est utile de les prévenir de sa probabilité et de son heureuse influence sur le résultat final de la cure.

Suivant la forme du rhumatisme et la constitution du malade, l'application des eaux augmentera ou diminuera de force et de durée. Quand dominera le tempérament lymphatique et que les lésions locales en subiront l'influence, le traitement complet, bain, boisson et douche, sera employé. Si au contraire il n'existe aucune complication lymphatique constitutionnelle, mais une lésion franche, articulaire ou musculaire chronique, la douche serait suffisante à la rigueur s'il n'était utile même dans ce cas de lutter encore contre la diathèse rhumastismale, moins difficile peut-être à détruire que précédemment, mais comportant toujours un traitement particulièrement actif.

Un de nos plus regrettés confrères des Eaux, mon excellent ami, le docteur Brongniart, de Contrexéville, n'aimait pas les bains chauds dans le rhumatisme goutteux. Cette répugnance s'explique parfaitement quand il s'agit de tempéraments sanguins, apoplectiques, ou très excitables. La douche portée sur des points déterminés, chaude et dérivative, ou fraîche et déplétive, rendra des services plus prompts que le bain.

Presque toutes les eaux thermales naturelles sont employées contre le rhumatisme. On indique ordinairement les moins minéralisées s'il s'agit de manifestations légères ou affectant des tempéraments nerveux et délicats; quant aux eaux fortes comme celles de Bourbonne, on y recourt lorsque l'insuffisance des premières a été constatée. Il serait, ce me semble, préférable de les choisir tout d'abord, l'excitation qu'elles produisent serait toujours facile à modérer en diminuant la durée de leur application et surtout leur chaleur, avec ou sans eau commune.

Le traitement de la goutte et du rhumatisme goutteux comporte trois indications :

1° Combattre la disposition acide, la formation de l'acide urique dans le sang, et nos eaux similaires de Vichy, aussi alcalines, remplissent admirablement cette indication, comme l'ont démontré jusqu'à l'évidence les récents travaux de M. Habert, relatés plus haut.

2° Expulser les urates formés dans le sang ou déposés dans les voies urinaires. L'eau de Bourbonne, avec adjonction des eaux froides de Larivière ou de Maynard, l'usage interne précédé d'une forte douche sur la région lombo-dorsale, sont excellentes pour produire ce résultat qui se constate aisément.

3° Dilater les canaux urinaires et rendre l'expulsion journalière plus facile ; action mécanique que l'eau, prise à dose méthodiquement progressive, produit d'une façon parfaite.

3° Affaiblissements organiques et déchéances fonctionnelles.

Sous le nom d'affaiblissement organique, je veux étudier un état morbide, dont la durée est ordinairement longue et la cause accidentelle, affectant la constitution tout entière, mais n'étant sous la dépendance d'aucune diathèse, se traduisant par de la faiblesse et une débilité caractéristique persistant même quand la cause originelle a disparu.

L'excitation des eaux est utile pour combattre cet affaissement du système nerveux produit par la diminution des qualités du sang. En effet, le liquide nourricier par excellence ne possède plus la vitalité nécessaire, le stimulus indispensable, sans lequel périclitent chaque jour davantage les fonctions organiques.

L'affaiblissement constitutionnel dont je m'occupe est toujours accidentel, c'est, si je puis m'exprimer ainsi, une lésion de surface qui n'a pas de racine profonde dans l'économie et qui tend à disparaître naturellement, mais lentement, quand s'éteint la cause initiale. Si cette cause persiste au contraire, les ressorts de la vie s'usent, s'épuisent, et la mort triomphe un jour facilement d'une résistance anéantie à la longue.

Les états spéciaux qui se traduisent par de l'affaiblissement organique et contre lesquels on peut utiliser le traitement minéral, sont :

1° L'*anémie*, et j'entends par ce mot la faiblesse produite par une perte de sang ou l'insuffisance de ses qualités et non la chlorose.

2° L'*épuisement prématuré* de la jeunesse dû à
une croissance trop rapide ou à des habitudes
funestes et d'une fréquence déplorable.

3° L'*affaiblissement organique* produit par les
maladies longues et surtout les fièvres graves.

4° *Le diabète.*

ANÉMIE.

L'anémie est une affection commune aux deux
sexes, se produisant instantanément sous l'influence d'une hémorrhagie abondante, ou lentement par une nutrition insuffisante. L'anémie,
comme je l'entends, est donc caractérisée par la
diminution de la masse du sang ou des éléments
qui entrent dans sa composition. Il est certain que
cette dernière cause est bien plus fréquente que la
première, car la partie liquide se renouvelle avec
une extrême facilité.

Les hémorrhagies qui engendrent le plus souvent l'anémie, accompagnent ou suivent l'accou-
chement, les blessures ou opérations sanglantes ;
l'épistaxis, la métrorrhagie accidentelle ou acquise,
etc., peuvent également la déterminer. Les troubles de la nutrition qui diminuent les globules
sanguins, et par ce fait l'excitation du sang, sont
causés par la gastralgie et la gastrite, la dyspep-

sie, les peines morales, etc.; en citant l'aménorrhée et la dysménorrhée, je risque de prendre,
je le sais fort bien, l'effet pour la cause, j'aurai
néanmoins à en dire un mot. Quant aux anémies
profondes qui sont la conséquence forcée de la
phtisie, du cancer et autres maladies analogues,
je n'ai pas à m'en occuper ici puisque l'affection
principale ne rentre pas dans nos cures habituelles.

L'anémie est caractérisée par la pâleur de la
peau et des muqueuses, par du vertige et des bourdonnements d'oreille, de la faiblesse et une lassitude capable d'empêcher tout effort soutenu, le
pouls est petit et fréquent, presque toujours il
existe un bruit de souffle au cœur et dans les vaisseaux du cou.

Contre ces accidents divers, j'emploie le bain
tiède et court, 30° à 35°, d'une durée variant entre
dix minutes et une demi-heure, la douche en
arrosoir et générale à température indifférente,
l'eau minérale à l'intérieur chaude, froide quand
une hémorrhagie est à craindre ou s'il existe une
constipation opiniâtre, ce qui est l'habitude chez
les jeune filles ou jeunes femmes bourrées de fer
et de cordiaux sous toutes les formes. Les moyens
hygiéniques adjuvants sont indispensables, ils
seront semblables à ceux que j'ai recommandés
dans le lymphatisme.

Le traitement doit avoir deux buts bien tran-
chés : remédier aux lésions actuelles et prévenir
le retour de nouveaux accidents. Les effets produits réagissent souvent sur la constitution même
et deviennent causes à leur tour, tellement qu'une
hémorrhagie, par exemple, en appelle une autre,
celle-ci une troisième dont la production sera plus
facile encore et ainsi de suite. Cette désastreuse
tendance est toute simple, car plus l'organisme
s'affaiblit, moins il offre de résistance ; sa faiblesse
qui augmente chaque jour est une cause progressive d'hémorrhagie d'abord et un obstacle à la
nutrition ensuite. Il est clair, en effet, que les organes devenus d'une débilité extrême ne sont plus
capables de remplir les fonctions que la nature
leur a dévolues.

AMÉNORRHÉE.

Je vais parler de l'aménorrhée, suppression des
règles, et de la dysménorrhée, difficulté dans leur
manifestation ; quant à la chlorose, « l'eau de
Bourbonne est souveraine contre la maladie des
jeunes filles, nommée par les Grecs χλωροσις
et par les Latins, *febris alba virginum.* » Cette
opinion, que j'emprunte à Tibault, est parfaite
surtout quand il s'agit de chlorose lymphatique.

Avec M. Bernutz, j'admettrai deux espèces d'aménorrhée :

1° *Aménorrhée par rétention* du flux mentruel, dont les causes sont accidentelles. Il s'agit en effet d'un vice de conformation congénital ou acquis, ou d'un trouble fonctionnel survenu à la suite d'un refroidissement brusque, d'une vive émotion, etc. Cette première espèce d'aménorrhée s'accompagne chaque mois de symptômes de congestion utérine et peut être guérie par une opération chirurgicale, quand il existe un vice de conformation ; dans le second cas, une vive excitation générale et locale sera toujours utile, j'y reviendrai tout à l'heure.

2° *Aménorrhée par défaut de sécrétion*, aménorrhée habituelle et durable, physiologique avant la nubilité, pendant la grossesse et après l'âge critique ; pathologique de quinze à quarante-cinq ans ; la ponte ovulaire est nulle ou défectueuse, l'époque est à peine accusée, l'utérus manque du stimulus essentiel et l'écoulement cataménial n'a pas de raison d'être. Le défaut de vigueur, l'asthénie des organes est considérable. La constitution n'a pas en quelque sorte la force de faire les frais d'une perte de sang quelconque, l'anémie et plus rarement la pléthore hydrémique, pour

employer l'expression de Bouillaud, dominent
l'organisme.

Il y a longtemps déjà, j'avais pour cliente une
dame de Colmar venue à Bourbonne pour des
rhumatismes; elle était accompagnée de sa fille,
âgée de 16 ans, lymphatique, nerveuse, pâle et
chétive, non formée. Je proposai de faire prendre
quelques douches à Mlle Y..., pour la fortifier,
mais sa mère me dit : à quoi bon ? elle est condamnée. J'appris alors que jugée phtisique par son
médecin, on avait abandonné tout espoir. Je l'aus-
cultai avec attention et trouvai une respiration
courte, un défaut de résonnance, de la congestion
pulmonaire, mais pas trace certaine de tubercules.
Je fis prendre à cette enfant des douches chaudes
sur les parties inférieures du corps, bien roulées
sur le bassin et après huit ou dix jours de ce traitement, j'appris que les règles avaient paru sous
la douche même. La santé de Mlle Y... se fortifia
rapidement et depuis on n'a jamais eu de crainte
pour sa poitrine.

Je pourrais citer plus de cent cas de ce genre,
chez des jeunes filles ou des jeunes femmes, dont
les règles ont reparu ici, en déchargeant par ce
fait les poumons, le système ganglionnaire ou
d'autres organes exceptionnellement congestionnés.

Les causes de l'aménorrhée, quand elles se produisent à un moindre degré, entraînent la *dysménorrhée,* affection fréquente et qui trouve à Bourbonne un traitement rationnel.

S'il existe une suppression ou une diminution
des règles, le médecin doit s'enquérir de la cause
effective. A *priori* l'examen et l'interrogation judi-
cieuse de la malade suffiront presque toujours
pour éclairer le pronostic et déterminer l'application d'un traitement. Qüand il y a défaut de ponte,
quand l'atonie de la constitution est manifeste, le
cas est plus embarrassant; cependant on peut
dire, neuf fois sur dix, que l'aménorrhée et la dysménorrhée sont dues à un défaut de forces des
organes génitaux internes. Les eaux de Bourbonne rempliront parfaitement le but qu'il s'agit
d'atteindre ; les bains tièdes et prolongés, les
douches actives et chaudes sur les reins, les
flancs et les cuisses , seront utilisés souvent
avec fruit. Tibault, en 1658, les recommandait
expressément contre « la rétention invétérée des
mois. »

La douche vaginale et utérine, la douche périnéale et rectale sont dirigées suivant les cas, sur
le col de l'utérus, ou dans le rectum, et peuvent
servir contre la paresse de l'intestin ou l'aménor-

rhée asthénique ; elles ne doivent pas se prolonger très longtemps, de cinq à huit minutes, et à une température agréable; leur application sera surveillée avec soin.

Quand l'aménorrhée n'est pas par trop enracinée, quand il s'agit d'une paresse, et non d'une atrophie des organes, il y aura grande chance pour que les menstrues se rétablissent ou se régularisent sous l'influence du traitement que je viens d'indiquer. Pour cette raison et d'autres, je dirai de Bourbonne, avec Le Bon : « La conception s'y trouve de femmes stériles. »

J'ai vu à Ems la source aux garçons, *Boubenquelle*, et la façon dont on l'applique ; je crois que nous faisons mieux en limitant le traitement interne au bain utérin avec le spéculum fenêtré dont j'ai adopté l'usage. Je me défie des douches utérines qui font basculer un organe trop mobile déjà ; le bain tiède, topique et tonique, replacera bien plutôt que la douche l'utérus dévié, dans l'axe vaginal. Chevalier a étudié spécialement le traitement de l'aménorrhée par les eaux minérales.

ÉPUISEMENTS PRÉMATURÉS.

A l'époque de la puberté, il est fréquent d'observer chez les jeunes garçons et chez les jeunes

filles une grande langueur, le système nerveux
est extrêmement impressionnable, toutes les fonctions souffrent et s'exécutent mal, principalement
celles de la nutrition. La croissance trop rapide,
les mauvaises habitudes chez les garçons, le retard de la menstruation chez les filles, disposent à
cette faiblesse que nos eaux toniques et excitantes
combattent utilement.

Par opposition à ce qui précède, la déchéance
suprême, la vieillesse, *senectus ipsa morbus est*,
ne vient-elle pas naturellement à l'esprit. Nos
eaux déchargent parfaitement les organes engoués
et actionnent très bien les appareils et les réservoirs affaiblis des vieillards. Ne sommes-nous pas
heureux et fiers de revoir chaque année ces vieux
généraux, ces personnages historiques, dont le
nom est sur toutes les bouches, se rendre chaque
matin à l'hôpital militaire ou à l'établissement
civil, comme à une fontaine de Jouvence.

AFFAIBLISSEMENTS ORGANIQUES, SUITES
DE FIÈVRES GRAVES.

Les fièvres graves produisent deux sortes de
lésions qui ont toujours été confondues, et cependant différentes selon moi, par les causes intimes

12

mêmes, qui feront nécessairement varier le pronostic.

La plus fréquente consiste en une faiblesse générale qui simule assez bien une paralysie véritable, les mouvements n'ont plus de force, quelquefois même ils sont presque anéantis. Cette parésie, véritable lésion de la sensibilité et du mouvement est due à un défaut de nutrition du système nerveux. Dans les fièvres longues, le sang, n'étant pas régénéré chaque jour par l'alimentation, perd ses qualités stimulantes ; de plus les muscles réduits à un repos prolongé se déshabituent de leurs fonctions ordinaires et sont obligés plus tard de les apprendre de nouveau. Les membres fracturés, placés pendant plusieurs semaines dans des appareils inamovibles, se trouvent dans des conditions analogues.

L'affaiblissement général, dont je viens de parler, est fréquent ; il n'est pas rare de le remarquer sur un point seulement de l'économie, et simulant à merveille une paralysie localisée due à la lésion d'un nerf ; il faut avant de poser le pronostic, bien s'assurer de l'état de la contractilité et de la sensibilité, sans quoi on s'exposerait à commettre des erreurs extraordinaires.

En général, la parésie en question guérit radicalement à Bourbonne en trois semaines.

Rien n'est plus étonnant que de voir certaines personnes arrivées avec des béquilles, marcher sans canne au bout de quinze jours de traitement ; le coup de fouet des eaux est donné, rien n'arrête plus l'amélioration qui, sans lui, aurait pu se faire attendre plusieurs mois encore.

Il existe une seconde lésion produite par les fièvres graves, celle-ci vient à la suite du décubitus dorsal prolongé, déterminant une sub-inflammation de la moëlle, et conséquemment une véritable paraplégie. J'aurai à y revenir au chapitre des paralysies.

L'albuminurie, suite de néphrite occasionnée par les fièvres graves, scarlatine, variole, etc., est parfaitement traitée à Bourbonne, quand elle prend un cachet chronique à outrance ; il y a là un fonctionnement de la peau à reproduire, qui demande une certaine attention dans les applications balnéaires.

DIABÈTE.

Il y a dix ans le diabète n'était pas encore déclaré justiciable des eaux chlorurées, on envoyait à tout hasard les malades de cette catégorie à Vichy. Depuis que le professeur Bouchard a démontré que le diabète était primitivement et essentiel-

lement caractérisé, par un défaut ou une insuffisance de l'assimilation et en particulier par un
défaut de la consommation du sucre dans les
éléments anatomiques, qu'il était la conséquence
d'un ralentissement de la nutrition, il n'était pas
difficile de prévoir les bons effets des grandes médications, c'est-à-dire les eaux minérales et l'hygiène, les eaux chlorurées sodiques qui actionnent
justement les fonctions de l'estomac et du tube
intestinal en première ligne, puisqu'elles augmentent l'acte de la nutrition dans une proportion que
chacun constate facilement à Bourbonne.

Le docteur Martineau, d'un autre côté, fut frappé
en 1875, des résultats heureux obtenus par un diabétique, par l'usage continué d'un litre d'eau de
seltz contenant vingt centigrammes de lithine et
cinq milligrammes d'arseniate de soude, à boire
en trois repas. Ce succès fut le début d'expériences
qui produisirent 67 guérisons sur 70 cas. M. Martineau fit part à la Société d'Hydrologie, en 1886,
de ces faits merveilleux, et conseilla, comme de
juste, les eaux lithinées aux diabétiques, Bourbonne
en première ligne, puisque nos eaux contiennent
huit centigrammes de chlorure de lithine par litre,
plus du double que ce que renferme l'eau de Royat,
sans compter l'arsenic en quantité appréciable et

65 milligrammes de bromure de sodium, le médicament si conseillé hier et aujourd'hui encore.

En 1888 et 1889 tous les médecins de Bourbonne, militaires et civils, réclamèrent les diabétiques, et j'en vis pour mon compte plusieurs fort améliorés ici, notamment M. F....., de la Seine-Inférieure, qui m'était adressé pour une affection cérébro-spinale, et que je soupçonnai diabétique. L'urine contenait 31 grammes de sucre par litre le 27 juillet 1890 et de l'albumine en quantité notable. Au départ, l'état général était devenu excellent et il n'existait plus que 18 grammes de glucose.

Voici, du reste, une note de M. Habert, pharmacien à Bourbonne, qui est aussi concluante que possible :

J'ai pu moi-même, par un certain nombre d'observations, apprécier l'action de l'eau minérale en boisson dans le diabète goutteux ou mieux arthritique.

Obs. I. — Le sucre a diminué de 14 grammes en 24 heures chez un diabétique goutteux après 21 jours de traitement et 250 grammes d'eau en boisson journalière.

Obs. II. — Après cinq jours d'usage d'un 1/2 litre d'eau, le sucre (21 grammes 65 par 24 heures) a disparu complètement.

Obs. III. — Le sucre a diminué de 18 grammes après 17 jours de boisson progressive.

12.

Obs. IV. — L'urine renferme 212 grammes 83 de glu-
          cose en 24 heures le 20 août 1888 ; l'eau
          ingérée a été progressivement de 25 cen-
          tilitres à 1 litre ; le 31 août, 11 jours après,
          l'analyse ne révèle que 97 grammes 78 de
          sucre.

Le sucre diminue dans la proportion du quart à la
moitié et, dans certains cas, disparaît même complètement ; les forces reviennent vite. Doit-on attribuer cette
diminution au changement d'air, de nourriture, de genre
devie ? Il est possible que ces facteurs puissent être'mis en
cause, mais il est certain que l'eau a elle-même une
influence très-marquée, car je pourrais citer plusieurs
diabétiques habitant la station depuis longtemps, et
pour lesquels on ne peut invoquer le changement de
climat, de vie ou de nourriture.

Chez l'un d'eux, suivant un régime alimentaire mixte,
qui ne buvait le matin qu'un seul verre d'eau de 25 cen-
tilitres, le sucre a subi en 10 jours une diminution de
16 grammes 644 et le chiffre de l'urée de 18 grammes 830
au début, est remonté à la quantité normale de 32 grammes 025 par 24 heures.

Chez une femme diabétique habitant Bourbonne depuis plusieurs années, l'analyse de l'urine donnait le
10 août 1890 les résultats suivants :

Densité 1038, déviation saccharimétrique 31° correspondant à 75 grammes 702 de sucre par litre ; le volume
d'urine émis en 24 heures était de 2 litres 5.

Cette malade buvait chaque matin 1 litre d'eau thermale. L'analyse du 27 août a donné :

Densité 1022, déviation 6° soit : 14 grammes 652 de

sucre par litre. Le volume d'urine des 24 heures était sensiblement le même que lors de la première analyse. En 17 jours le sucre a baissé de 61 grammes 05 par litre et de 152 grammes 625 par 24 heures.

Enfin un diabétique arthrique, ayant toujours habité la station, a vu, dans l'espace d'une saison, et sous l'influence d'un litre d'eau en boisson quotidienne, le sucre diminuer de 25 grammes 03.

Les diabétiques gras retirent généralement un grand avantage du traitement de Vichy, Vals, etc..., mais les eaux alcalines fortes sont impuissantes dans les cas de diabète maigre, et c'est alors que les eaux reconstituantes doivent être employées.

Aussi rangeons-nous dans la catégorie des malades à envoyer dans notre station : les *diabétiques maigres, arthritiques, anémiques* et *lymphatiques.*

4⁰ Empoisonnements.

Il nous est donné, à Bourbonne, d'observer plusieurs maladies chroniques dues à la présence dans l'économie d'un élément étranger venu du dehors et produisant à la longue un véritable empoisonnement. Des symptômes aigus précèdent presque toujours l'état chronique, les causes sont surtout occasionnelles et agissent subitemont ou lentement.

Parmi les affections de ce genre, il est important de signaler en première ligne la syphilis, la cachexie paludéenne, l'empoisonnement par le plomb et le cuivre.

SYPHILIS.

Le 16 juin 1869, M. Després exposait devant la Société de Chirurgie des idées nouvelles sur la syphilis. Je pensais depuis longtemps une grande partie de ce que le savant professeur formulait, mieux que je ne pourrais le faire, aussi je cite textuellement ses paroles :

« Le traitement tonique est plus acceptable dans la syphilis que le traitement mercuriel associé aux toniques, puisqu'il est reconnu que le mercure est un agent tonique. La syphilis n'a pas de contre-poison spécifique ; elle est une variété d'infection purulente, la moins grave de toutes peut-être, et nous savons qu'il n'y a pas de contre-poison spécifique pour l'infection purulente. La syphilis guérit seule par une série d'éliminations spontanées. Soutenons l'économie pendant que ce travail s'accomplit, pendant que l'individu élimine, sous forme de plaques muqueuses ou de syphilides papuleuses, les parties contaminées de son sang. Traitons scrupuleusement les accidents locaux, tel est le traitement physiologique de la syphilis. Encore quelques années, la démonstration se fera et la syphilis rentrera dans le cadre des maladies générales d'où elle n'aurait jamais dû sortir. »

Posée de la sorte, la question est résolue, car les eaux de Bourbonne produisent précisément les manifestations cutanées que j'ai toujours considérées comme un symptôme favorable, et à ce propos je citerai le fait suivant :

Il y a quinze ans, un jeune commandant vint à Bourbonne pour une fracture de jambe, il me fut adressé par le médecin en chef de l'hôpital ; nous comptions, et avec raison, sur l'électricité pour rendre au pied tout ou partie de ses mouvements. Les choses marchaient bien, quand un matin M. X*** me parla d'une vive poussée qui s'était manifestée à peu près sur tout le corps. A première vue, je n'hésitai pas à prendre cette prétendue poussée pour une magnifique roséole, j'avertis le commandant et le félicitai, en lui expliquant l'avantage que cette manifestation allait produire sur sa constitution. M. X***, consterné, me déclara (nous étions à la mi-août), que dans un mois il devait se marier, et que cette éruption était aussi fâcheuse que possible. Je l'engageai, après en avoir référé au médecin en chef, et bien à contrecœur, à cesser l'usage des eaux, ce qu'il fit de suite. Quelques fumigations de cinabre diminuèrent assez rapidement cette roséole malheureusement avortée, et qui était capable de purger définitivement l'économie de tout levain syphilitique. Je souhaite que les enfants de M. X*** ne soient pas les victimes de la suppression intempestive du traitement minéral.

Les eaux minérales chaudes sont la meilleure pierre de touche, expression de M. Lambron, pour caractériser une syphilis larvée et pour décéler une vérole latente, pour la forcer à apparaître quand elle eût pu sommeiller encore de longues années. J'ajouterai que ces manifestations successives usent et détruisent le germe constitutionnel et finalement produisent assez vite la guérison définitive.

Aux personnes qui veulent s'assurer de l'état actuel de la syphilis chez elles, je conseillerai l'usage des eaux de Bourbonne ; si rien n'apparaît, il y a probabilité de guérison complète; s'il arrive quelques symptômes secondaires, tant mieux, car l'amélioration constitutionnelle en sera la conséquence. Tout individu qui a eu un chancre induré devrait passer par cette étamine avant de se marier et de procréer des enfants qui seront pour lui, peut-être, un sujet de chagrin et de remords.

Le traitement minéral accroît quelquefois, entretient souvent les manifestations syphilitiques, manifestations que je considère comme l'écume nécessaire rejetée par la constitution en train de se libérer de tout virus gâtant l'ensemble de l'être ; il contribue à donner une efficacité très-grande aux médicaments spécifiques ou prétendus tels (mercure et iodure de potassium), dont j'admets l'emploi, et en cela je diffère de M. Després qui repousse tout traitement particulier.

Les médecins qui ont étudié à fond les effets des eaux de Bourbonne les recommandent contre la syphilis, je citerai notamment Hubert Jacob, Lebon et Juy.

Charles les contre-indique par la raison même qui me les fait conseiller ; « elles renouvelleraient, dit-il, et réveilleraient en quelque sorte le virus assoupi en lui donnant du mouvement et de l'action. » Chevalier, Mongin-Montrol, Prat ordonnent avec certaines restrictions l'usage des eaux thermales aux vérolés. Le Molt, Ballard, Magnin les recommandent instamment dans les syphilis anciennes et rebelles aux traitements ordinaires.

Deblangey, dans une thèse soutenue à Montpellier en 1850, raconte le fait suivant : « En 1848, les huit chirurgiens sous-aides majors, détachés aux eaux de Bourbonne, firent usage des bains dans un simple but d'expérimentation. Deux furent couverts de syphilides. Dès les premiers jours, un troisième vit réapparaître un écoulement qui avait cessé depuis trois mois. Chez les deux premiers l'iodure de potassium fut associé à l'usage des eaux, la guérison fut rapide, et depuis elle ne s'est pas démentie. »

Le médecin que je viens de citer, donne en outre les observations de plusieurs cas de guérisons de carie, ulcères, ophthalmies, et douleurs syphilitiques obtenues à Bourbonne; Henri de même, ainsi qu'Emile Renard et Tamisier, ce dernier sur huit accidents secondaires et tertiaires, a obtenu six guérisons et deux améliorations. M. Cabrol, moi-même et bien d'autres ont constaté maintes fois à l'hôpital militaire le retour d'accidents secondaires et la rapidité d'action des mercuriaux associés au traitement minéral ; fait curieux, ces médicaments ne produisent pas ici de salivation.

Quand la syphilis affecte un tempérament lymphatique, elle guérit difficilement partout. Lorsqu'elle est combattue par des eaux chlorurées, toniques et excitantes, il n'est pas rare d'observer des résultats inespérés.

Les accidents tertiaires , exostoses , caries , gommes, douleurs ostéocopes, tumeurs, etc., comportent une application thermo-minérale réservée. Le bain et l'eau à l'intérieur ainsi que la douche, conviennent encore, mais leurs effets devront être observés et modérés avec soin.

Le traitement mercuriel marche habituellement en même temps que les eaux ; quand j'y ai recours, j'ordonne de préférence la liqueur de Van-Sviéten, une cuillerée à bouche par jour dans un verre d'eau minérale, ou le sirop de Gibert.

En terminant ce qui a trait à la syphilis, je recommanderai encore les eaux de Bourbonne à tous les vérolés, soit pour faire disparaître les accidents actuels, soit pour faire sortir en temps opportun et guérir facilement les manifestations qui seraient plus tard et pour bien des raisons, peut-être fort désagréables.

CACHEXIE PALUDÉENNE.

Il est singulier que les eaux de Bourbonne, après avoir été prônées aussi chaleureusement par les anciens auteurs contre les fièvres intermittentes, soient tombées dans un tel état de discrédit près des contemporains.

13

Hubert Jacob dit cependant : « les fièvres invétérées, longues, lentes, nocturnes, quartes, intermittentes sont guéries à Bourbonne » et Tibault « les fièvres lentes, invétérées et nocturnes, les intermittentes, quartes et quotidiennes, mesmes les tierces bastardes... y reçoivent guérison, moyennant que les eaux et les bains soient pris fort tempérés. »

Pour ne pas multiplier indéfiniment les citations, j'arrive de suite à Juvet. Ce médecin a publié en 1750 un petit volume intitulé : « Dissertation contenant de nouvelles observations sur la fièvre quarte et l'eau thermale de Bourbonne en Champagne. » Ce livre est précédé d'une lettre de félicitations d'Helvétius, grand partisan du traitement de la fièvre par les eaux de Vichy. Juvet établit que les fièvres intermittentes sont quelquefois rebelles au quinquina, elles affectent souvent les viscères, le foie et la rate principalement, elles altèrent les liquides et les portent à un haut degré d'épaississement ; pour les guérir, il faut employer les évacuants, les délayants, les diurétiques, les humectants, et les fortifiants, toutes qualités qui se rencontrent dans l'eau de Bourbonne. Aussi l'expérience extrêmement étendue de Juvet (il avait donné ses soins à 15,000 malades lorsqu'il écrivit son livre), l'avait-elle convaincu de l'efficacité des eaux qu'il était appelé à administrer contre les fièvres intermittentes et leurs accidents consécutifs.

Comment se fait-il que l'on trouve à peine quelques mots concernant la fièvre paludéenne dans les ouvrages récents, si complets à d'autres points de vue. M. Magnin seul donne deux observations, deux guérisons.

A l'hôpital militaire, les cas de fièvre sont assez fréquents. Certains malades sont dirigés sur Bourbonne pour y être traités de fièvres d'Afrique et de Cochinchine rebelles, d'affaiblissement organique profond. La plus grande partie des fièvres observées complique l'affection principale qui a déterminé l'envoi aux eaux.

J'ai remarqué que les fièvres intermittentes anciennes étaient presque constamment accompagnées d'affaiblissement sanguin et nerveux considérable. Les malades de cette catégorie présentent un teint jaunâtre, bilieux prononcé, une débilité très grande; chez eux il existe un véritable empoisonnement de la constitution. S'il est après la suppression de la cause un traitement avantageux contre une position pareille, c'est sans contredit celui qui procurera une vive excitation générale.

Les eaux toniques de Bourbonne triompheront
presque toujours de l'état fâcheux que je viens de
décrire, surtout si leur action est renforcée par un
régime fortifiant énergique, dont la base sera le
vin ; à tort ou à raison, je regarde le vin comme
un fébrifuge de premier ordre.

Si nos eaux sont délaissées par les fébricitants,
il n'en est pas de même de celles qui possèdent
des qualités analogues. Les habitants de Balaruc
et des environs, lorsqu'ils sont atteints de fièvre
intermittente, se rendent à l'établissement thermal de cette ville, y boivent pendant plusieurs jours
d'énormes quantités d'eau et se guérissent très-
vite et radicalement.

On a pensé que l'arsenic des sources de la
Bourboule et de Cransac produisait un effet
excellent, cet effet spécifique agit sans doute con-
jointement avec l'action générale tonique. MM. Pe-
trequin et Socquet recommandent les eaux salines
sulfatées et sulfatées calciques contre les fièvres intermittentes. Les auteurs du dictionnaire
des eaux minérales attachent également à la station de Bourbonne une grande importance dans le
traitement de la fièvre chez les individus lympha-
thiques et scrofuleux. Quant à moi, je conseille instamment nos eaux contre la cachexie palustre et

contre les fièvres intermittentes qui ont résisté au sulfate de quinine.

Les premiers bains produisent souvent l'exagération des accidents, les stades sont mieux accusés, mais le froid est rarement de longue durée. Le sulfate de quinine, devenu infidèle en Afrique, débarrasse merveilleusement à Bourbonne les militaires de leurs fièvres invétérées, les accès s'éloignent en raison directe des forces que le malade acquiert chaque jour, ils finissent enfin par disparaître complètement.

INTOXICATIONS DIVERSES.

Tous les malades victimes d'intoxications capables de troubler l'organisme pour un temps plus ou moins long devraient être envoyés à Bourbonne. On ignore trop les bénéfices qu'ils pourraient retirer de l'usage des eaux.

A l'hôpital militaire, on reçoit surtout des coliques sèches ; à l'établissement civil, des accidents consécutifs à l'empoisonnement par le plomb, mais en petit nombre.

Les bains et les douches, l'eau à l'intérieur à dose purgative sont employés utilement contre les empoisonnements chroniques qui se présentent ordinairement à nous sous forme de paralysie, de douleurs vives, de débilité, etc.

Les intoxications que j'ai observées étaient dues
à l'ergot de seigle, au tabac, à l'iode, au mercure,
au cuivre et au plomb. Je vais exposer en quelques mots les faits dont j'ai été témoin.

M. Renard m'a recommandé en 1868 deux jeunes
gens de Colmar, le frère et la sœur, auxquels il
pensait que l'électricité pourrait être utile. Ces
deux très-intéressants malades étaient devenus
complètement paralytiques, simultanément en huit
jours, ainsi qu'une domestique de leur maison.

Les médecins de la ville pensèrent que ces
accidents, qui dégénérèrent vite en paraplégie persistante, étaient dus à la présence de l'ergot de
seigle dans le pain fourni par un boulanger ; plusieurs clients de cet industriel furent à la même
époque victimes de troubles dans la motilité, mais
beaucoup moins accusés que chez M. et Mᵐᵉ E...
J'ai électrisé en 1868 et 1869 ces jeunes gens avec
un succés médiocre, les eaux n'ont pas agi non
plus très-efficacement.

En 1865, un vieux garde forestier des environs
d'Orléans, vint à Bourbonne pour un tremblement
général que son médecin attribuait à l'usage immodéré du tabac. Cet homme fumait en effet à peu
près constamment dans des pipes très courtes et
remplies avec du tabac commun dit gros rôle. Ce

vieillard prit deux saisons à Bourbonne et partit fort amélioré, il était parfaitement capable de reprendre son service lorsqu'il nous quitta.

En 1874, M. Renard me fit voir un homme d'environ quarante ans atteint de paralysie des jambes et des pieds, ne remontant pas au-dessus des genoux, et de paralysie des avant-bras et des mains. Cet homme nommé Joseph J..., de Nettancourt, raconte qu'il y a environ deux ans, sa femme a commencé à lui donner des infusions de tabac à priser ; il croyait prendre de l'arnica conseillé contre des douleurs d'estomac, qui s'exagéraient bien entendu chaque jour. Cet·empoisonnement progressif a duré deux mois et n'a cessé que par l'arrestation de la femme qui depuis a été condamnée à 18 mois de prison. Quatre mois après la cessation des infusions de tabac, l'estomac allait mieux, mais la paralysie s'est manifestée aux jambes puis aux avant-bras. La paralysie aujourd'hui diminue lentement, les eaux ont produit un bon effet.

Je connais plusieurs faits concernant l'abus de l'iode. J'en citerai seulement un. M⁽ᵐᵉ⁾ C....., habitant le département de la Haute-Saône, vint me consulter il y a douze ans pour des palpitations de cœur et une oppression permanente, elle se croyait phtisique. Je fus frappé de l'état de marasme profond auquel était réduite cette pauvre femme, et tout d'abord je crus comme elle a une phtisie. En interrogeant Mme C...., j'appris qu'un an auparavant, elle avait un goître volumineux, elle avait consulté un médecin qui lui conseilla un médicament à boire, une cuillerée à bouche par jour, ce qu'elle fit. Au bout d'un mois, ne constatant pas d'amélioration, elle doubla, puis quadrupla la dose, tout en suivant le traitement d'un nouveau médecin, qui lui aussi avait sans doute ordonné un traitement iodé. Un peu plus tard, Mme C..... s'aperçut qu'elle maigrissait, son goître diminuait du reste, ce qui l'encouragea à continuer l'usage des médicaments ; ses seins qui étaient précédemment volumineux, avaient presque complètement disparu, quand je la vis, ainsi que le goître ; cette dame était de plus d'une maigreur et d'une faiblesse extrêmes. Envoyée aux eaux de Bourbonne, elle n'avait demandé les conseils de personne, ce n'est que quand s'exagérèrent l'oppression et les palpitations qu'elle se décida à me venir voir, je l'engageai instamment à continuer l'usage des eaux avec certaines modifications que je jugeai utiles ; elle partit très améliorée après avoir pris une saison et demie.

Le 20 juin 1881, M. Renard m'a adressé le sieur
B..... (Hubert), âgé de 42 ans, ouvrier à l'usine
Coyen, où, depuis 1865, il polit et lime le cuivre
pour fabriquer des instruments de géodésie. Ce
baigneur gratuit, est atteint de paralysie générale
à son début. Aspect cachectique, vue affaiblie,
inquiétudes dans les membres, douleurs violentes
à la nuque et à la tête, vomit généralement deux
heures après chaque repas, extrémités froides et
presque insensibles. Paralysie électrique des
extenseurs des avant-bras, insensibilité électrique
même à un courant très fort. Les fléchisseurs
obéissent parfaitement. Il y a eu un séton à la
nuque, des cautères le long de la colonne vertébrale, sans succès ; ce qui seul paraît améliorer
cet état sont la chaleur et les purgatifs.

La céphalalgie et les battements aux tempes
empêchent tout travail. Interrogé par moi, ce
malade m'apprend qu'à son usine les ouvriers ne
sont pas vigoureux et qu'il est rare d'en voir qui
y ont quinze ou vingt ans de séjour. Les bains et
les douches ont amélioré légèrement ce malade.

A l'hôpital militaire, il n'est pas rare d'observer
le tremblement et la cachexie mercuriels; les
accidents qui sont la conséquence de ces intoxications se trouvent parfaitement de l'usage des

13.

eaux. Aussi l'excellent Jean Lebon ne manque pas de dire: « Je ne scay qui a semé cette hérésie, qui est que les bains ne valent rien aux vérollés, au contraire, les bains retirent le vif argent et onguent du centre et habitude de tout le corps, et les remet en sain et pristin estat. »

En 1875, j'ai donné des soins à un jeune voyageur de commerce envoyé à Bourbonne pour un tremblement mercuriel très accusé; il s'est amélioré ici et en 1876 il m'écrit qu'il est guéri.

J'arrive de suite aux coliques sèches si fréquentes au Sénégal et à Cayenne. Il n'y a pas d'années qu'un grand nombre de militaires ou marins ne soient pris aux colonies de colique végétale. Les plus affectés sont évacués en France et ils nous arrivent avec des douleurs arthritiques très vives, des paralysies atrophiques localisées généralement aux avant-bras. Cette singulière maladie présente trop d'analogie avec l'intoxication saturnine pour que je m'y arrête plus longtemps, je n'ai pas davantage à me demander si ces deux affections ont la même origine, je dirai cependant que les militaires et les médecins des colonies que j'ai interrogés, croient presque tous le contraire.

En fait d'empoisonnement par le plomb, en

cherchant dans mes notes, je trouve ceci : un ouvrier du port de Brest qui éprouvait de violentes douleurs de tête et une paralysie atrophique prononcée des membres supérieurs fut envoyé à l'hôpital militaire de Bourbonne en 1867. Le certificat de cet homme portait pour toute indication : paralysie générale, suite de refroidissement. Dirigé sur le service d'électricité, je constatai immédiatement l'absence de contractilité électrique dans les muscles atteints, j'interrogeai ce malade avec soin, et il finit par se souvenir qu'à l'époque où la paralysie avait débuté, il était occupé depuis plusieurs semaines à peindre des navires. En même temps que la paralysie, ce malade avait éprouvé des douleurs dans les jointures, mais sans rougeur ni gonflement ; la colique si elle avait existé était passée inaperçue. Deux saisons de quarante jours améliorèrent sensiblement ce marin.

M. B..., de Salins, est envoyé à Bourbonne en 1872 par le Dr Germain pour une paralysie saturnine fixée aux deux membres supérieurs y compris les épaules et une partie du thorax. Jamais il n'y a eu de colique. Il y a eu paraplégie, très-améliorée aujourd'hui. Après quinze jours de traitement minéral les épaules sont presque guéries, depuis l'amélioration s'est prononcée aux bras. Les

bains sulfureux avaient été employés avantageusement, mais n'avaient pas produit un résultat
aussi rapide que nos bains salés.

Un peintre de Bourbonne, D..., fut pris subitement sur son échelle d'une colique si violente, que
l'on crut d'abord à de l'épilepsie, je fis prendre
plus tard des bains sulfureux dans l'eau de Bourbonne (barèges) à ce pauvre homme, ses ongles devinrent noirs et l'amélioration fut assez rapide
pour qu'après sa saison, D... soit débarrassé complètement des douleurs dont il souffrait constamment depuis plusieurs années, principalement au
ventre et aux jointures.

Les paraplégies saturnines ne diffèrent des autres
affections du même genre que par des douleurs
plus vives et une disposition atrophique plus
grande, enfin par leur gravité.

Je dirai en passant que l'électricité rend de
signalés services contre l'arthralgie et la paralysie
saturnine. Je me souviens qu'élève de M. Briquet
en 1857, je faradisais déjà avec succès à la Charité
les ouvriers de Clichy atteints de colique de plomb.

8° Maladies des centres et des cordons nerveux.

I. — PARALYSIES.

Le mot paralysie est synonyme de diminution ou perte totale de la sensibilité et du mouvement ou seulement de l'une ou de l'autre de ces deux fonctions.

La sensibilité et le mouvement sont deux actes congénères qui se tiennent étroitement. Tous deux s'exercent de la même façon et s'éteignent sous les mêmes influences. L'un cependant est plus exquis, plus délicat que l'autre. La sensibilité presque toujours disparait la première, la première aussi elle revient dans les parties privées encore de mouvement, et dans ce cas elle est le précurseur, le signe assuré du retour prochain de la motilité. Une lésion très légère amène l'abolition du sentiment seul, plus grave du sentiment d'abord et du mouvement ensuite, très-grave des deux fonctions à la fois. Une très faible congestion cérébrale produit l'engourdissement de la main et des doigts, les mouvements sont encore faciles, mais le toucher est peu sûr ; plus forte, les mouvements sont embarrassés et la sensibilité nulle ; très forte, la main tombe inerte, l'innervation est complètement abolie.

« Toute paralysie est due à une lésion organique ou tout simplement fonctionnelle, soit des organes centraux qui commandent, soit des cordons nerveux qui transmettent, soit enfin des organes qui exécutent les mouvements ou qui perçoivent les sensations. »

C'est en ces termes que débute ma thèse inaugurale soutenue à Paris le 22 février 1861.

Le cerveau et la moëlle épinière sont les deux sources, a dit Roche, d'où jaillit sans cesse le fluide qui distribue partout les facultés de sentir et de se mouvoir. Si un accident, une lésion instantanée ou une maladie grave viennent à entraver le libre fonctionnement de ces centres nerveux par excellence, il se produit de suite ou lentement une paralysie, c'est-à-dire la diminution ou l'abolition complète de la sensibilité et du mouvement. La lésion cérébrale, congestion ou hémorrhagie, entraînera l'hémiplégie, paralysie d'une moitié latérale du corps. La lésion de la moëlle produira la paraplégie, paralysie des membres inférieurs et souvent des organes abdominaux. La lésion d'un nerf ne déterminera qu'une paralysie localisée dans une région plus ou moins étendue, suivant l'importance du cordon nerveux lui-même. Enfin le ramollissement de la substance cérébrale amènera dans certaines conditions spéciales l'état morbide que l'on est convenu d'appeler paralysie générale progressive.

Quatre sortes de paralysies se présentent donc à notre observation : toutes quatre peuvent s'améliorer à Bourbonne, quoique à des degrés bien différents, suivant la durée et la gravité de la cause qui les ont produites, ce sont :

1° L'hémiplégie ;

2° La paraplégie ;

3° Les paralysies localisées ;

4° La paralysie générale.

Hémiplégie.

L'hémiplégie est la paralysie d'une moitié latérale du corps, elle est complète ou limitée. En général, le membre supérieur et principalement la main sont le plus longtemps privés de sensibilité et surtout de mouvement. Le début de cette affection est ordinairement brusque, il peut être lent ; ses causes sont la congestion ou l'hémorrhagie du cerveau.

La.congestion cérébrale simple guérissant toujours facilement et vite, je n'ai pas à m'en occuper
ici; l'hémorrhagie seule produit l'hémiplégie persistante entraînant le traitement minéral.

L'attaque d'apoplexie, mot défectueux, mais
toujours employé, peut être précédée par de la pesanteur de tête, des bourdonnements d'oreilles,
des vertiges, etc.; d'autres fois, au contraire, sans
prodromes, le malade tombe foudroyé, privé de
connaissance, de mouvement et de sentiment. La
perte de connaissance est souvent aussi nulle ou
de courte durée, la paralysie médiocre, la face et
la langue à peine déviées, la jambe seulement en-
gourdie, le bras quoique plus sérieusement atteint,
n'est pas complètement paralysé. Entre les deux
hémorrhagies qui entraînent des lésions si différentes, tous les degrés peuvent se produire.

L'épanchement sanguin se fait le plus souvent
au milieu de l'hémisphère cérébral, son volume
varie infiniment suivant les cas ; converti en caillot, il s'entoure, au bout de trois semaines ou un
mois, d'une membrane séreuse qui secrète un
liquide capable de dissoudre le sang coagulé et le
rendre ainsi susceptible d'être résorbé, ce qui a
lieu lentement. Une fois le sang disparu, il se
forme dans l'intérieur du kyste des fausses mem-

branes enchevêtrées et contenant dans leurs mailles une sérosité permanente; dans les cas les plus heureux, les deux parois du kyste se rapprochent, se soudent et constituent dans le cerveau une cicatrice linéaire.

Plusieurs mois sont nécessaires pour qu'ait lieu la disparition du sang épanché, mais la résorption opérée, la paralysie persiste encore, quoique à un degré moindre. J'insiste sur la marche de l'épanchement sanguin; parce qu'elle m'aidera singulièrement dans l'étude que je vais faire de cette question importante : « à quelle époque de la maladie doit-on envoyer les hémiplégiques aux eaux minérales? »

La mémorable discussion qui a eu lieu en 1856 à la Société d'Hydrologie, un travail de M. Périer présenté à la même compagnie en 1863, les ouvrages des médecins exerçant à Bourbonne, Bourbon-l'Archambault, Balaruc, etc., me seront d'un grend secours pour compléter ce qu'aurait d'insuffisant mon expérience personnelle.

MM. Le Bret à Balaruc, Regnault à Bourbon-l'Archambault, administrent les eaux dont ils disposent le plus près possible de l'attaque, ils obtiennent en agissant ainsi un succès plus marqué et ne provoquent jamais les complications que prévoient certains de leurs confrères.

« A l'hospice thermal de Bourbon, dit M. Regnault, personne ne veille à l'exécution des prescriptions du médecin. Les malades s'administrent les eaux comme bon leur semble. Or qui ne sait que la population des hôpitaux est toujours disposée à abuser des médicaments sous toutes les formes.

« Au contraire, à l'établissement thermal, les eaux sont administrées sous la surveillance la plus rigoureuse et avec tous les ménagements possibles de température, de temps, de force, etc. Ici jamais de ces réactions énormes qui à l'hospice sont poussées quelquefois jusqu'à la syncope, et qui causeraient au malade et à ceux qui l'entourent un véritable effroi ; mais aussi, je dois le dire, la différence des effets du traitement est extrêmement sensible. A l'hospice, *rarement un insuccès complet ;* le plus souvent une amélioration notable, et fréquemment *guérison après la seconde année.* A l'établissement, au contraire, *guérisons plus rares et fréquents insuccès.*

Ce résultat tient, d'après M. Regnault, à ceci : c'est que les pauvres se rendent le plus tôt possible à l'hospice pour y profiter du traitement minéral, tandis que les personnes aisées sont envoyées à l'établissement longtemps après le début de la maladie et comme dernier expédient thérapeutique.

M. Renard a résumé, en quelques pages excellentes, les résultats constants que lui ont fournis son expérience et son savoir, je ne puis mieux faire que citer notre regretté maître.

« Les eaux de Bourbonne peuvent être appropriées au traitement des paralysies, suites d'hémorrhagie cérébrale, lorsque la lésion primitive a franchi toutes les périodes du travail inflammatoire. Il y a plus de chances de succès quand la cause a été accidentelle, quand elle ne tient pas à l'âge ou aux circonstances du tempérament. Et même, en supposant que la lésion ait son principe dans la constitution du sujet, les eaux de Bourbonne peuvent encore être employées, lorsqu'à l'aide d'un régime convenable et des moyens propres à neutraliser les effets de cette disposition, elle a cessé de paraître menaçante.

« Il est extrêmement important, dans tous les cas, de surveiller l'action du traitement avec la plus grande attention, et de faire concourir aux bons résultats de cette action, le régime et les moyens accessoires indiqués par l'état particulier du malade. Plus les sujets sont jeunes et sanguins, plus on doit se tenir en garde contre l'action excitante de l'eau de Bourbonne, à l'intérieur surtout. Les bains à douce température et peu prolongés peuvent être considérés comme une préparation utile à l'action de la douche, qui est ici la force la plus efficace de l'administration de nos eaux. Le malade la reçoit tantôt couché sur un lit de sangle, et tantôt assis. Ce dernier mode est préféré, dans le cas où la tendance du sang vers le cerveau paraîtrait encore à craindre.

« Sous le bénéfice de ces réserves, on peut laisser aux eaux de Bourbonne une place encore assez honorable dans le traitement des paralysies, suites d'apoplexie cérébrale.

« Une des conditions les plus essentielles du régime

accessoire à suivre, est le maintien de la liberté du
ventre ; il est même à propos d'exciter cette liberté par
de légers purgatifs indépendamment des évacuations
sanguines qui peuvent être indiquées. L'exercice est
bon, mais dans une mesure proportionnée à l'état du
malade et aux forces dont il peut disposer sans fatigue,
de manière à éviter toute réaction fâcheuse sur le cerveau.

« J'ai dit que, dans les paralysies de l'ordre de celle
dont nous nous occupons, les eaux de Bourbonne ne
doivent pas être employées à une époque trop rapprochée des accidents primitifs ; mais si leur emploi prématuré présente des dangers, de même il y aurait des
inconvénients dans l'excès contraire.

« Un ajournement trop long pourrait compromettre
les résultats du traitement. La guérison contre les affections de ce genre est subordonnée sans doute à la
résorption de l'épanchement, c'est-à-dire qu'elle se fait
du dedans au dehors ; mais cette résorption elle-même
peut être favorisée par une action du dehors au dedans,
quand la période du travail inflammatoire est franchie.

« C'est du moins ce que les bons résultats des traitements thermaux tendraient à faire penser. Remarquons
encore ici que la paralysie, considérée comme effet,
peut persister par une sorte d'habitude óu d'asthénie
consécutive, si je puis m'exprimer ainsi, même après la
suppression de la cause qui l'a produite. On conçoit en
effet que les membres plus ou moins longtemps privés
de l'influx cérébral puissent rester sous le coup de l'engourdissement qui en a été le résultat, si une action
extérieure quelconque ne vient les aider à en sortir en

s'exerçant sur les points extrêmes engagés dans l'affection ; mais il importe que cette action, qui peut s'étendre de proche en proche et rayonner jusqu'au cerveau, n'y ramène aucun principe d'irritation. Voilà ce que le médecin traitant ne doit jamais cesser d'avoir en vue. »

Personne n'a mieux exposé les effets probables du traitement minéral dans les paralysies, cependant il est difficile de reconnaître que la lésion primitive a franchi toutes les périodes du travail inflammatoire ? Est-ce à l'absence de contracture, à *l'amélioration naissante* ; et ce travail inflammatoire lui-même est-il bien franc d'allure, ou tellement insidieux qu'on peut à la rigueur dans nombre de cas n'en tenir aucun compte ?

J'ai souligné ces mots amélioration naissante parce qu'ils ont une valeur énorme non-seulement pour les paralysies, mais bien pour toutes les affections tributaires des eaux. J'ai déjà dit et je ne le répéterai jamais assez, l'amélioration à Bourbonne sera presque toujours considérable dans les maladies qui sont entrées dans la troisième phase de leur évolution, période de décroissance ; moins sûre dans la deuxième, période d'état ; très incertaine pour ne pas dire plus dans la première, période d'augment. Mais dans l'hémiplégie, la troisième période arrive presque immédiatement après la première qui dure une seconde, il y a même une grave objection à opposer aux partisans du traitement minéral immédiat. Cette amélioration que vous obtenez, pourrait-on leur dire, si vite à Bourbon ou à Balaruc, vous l'eussiez tout aussi bien constatée si vous aviez laissé vos malades dans leurs lits. — C'est possible, mais il est probable qu'elle n'aurait été ni aussi assurée, ni surtout aussi rapide.

M. de Laurès craint plus encore que M. Renard un traitement trop hâtif. M. Durand Fardel comprend parfaitement que chez les individus mous, lymphatiques, affaiblis, il y ait indication d'activer les phénomènes de réparation du foyer apoplectique, sans doute languissants et embarrassés ; « mais lorsque les forces de l'organisme suffisent pour réparer le désordre en question, l'intervention des moyens artificiels, si utile tout à l'heure, risque de dépasser la mesure et d'être nuisible, bien loin de rendre aucun service. »

Je viens d'exposer le plus rapidement possible l'opinion des médecins qui font autorité dans la science de l'hydrologie ; je vais étendre encore la question sans la trancher, bien entendu, tout en appréciant davantage l'opinion des médecins partisans du traitement hâtif, puisque je n'hésite pas,

dans les paralysies récentes, à conseiller le traitement minéral à la condition de donner à la douche
et à la boisson le rôle principal. Voici les raisons
qui me guident dans cette manière de voir :

En général, une nouvelle attaque d'apoplexie
est-elle plus à craindre dans les semaines qui suivent immédiatement l'accident primitif que six
mois après, par exemple ? Je crois qu'une deuxième
hémorrhagie cérébrale est bien rare dans les trois
mois qui suivent la première, plus fréquente, au
contraire, après la première année ; ce sont mes
souvenirs de praticien qui me dictent ce que j'écris.

La deuxième attaque, dit-on, peut être provo-
quée par l'excitation produite par les eaux ; mais
à quelle époque de la genèse morbide ? La nouvelle hémorrhagie, si elle survient, ne se fait pas
dans le premier foyer, elle se fait ailleurs. Elle n'a
pas plus de chance de se former plutôt un mois
qu'un an après la première attaque, au contraire :
et précisément les médecins courageux, qui ont
tenté l'aventure, n'ont eu qu'à se louer de leur témérité qui semble rationnelle ; car les eaux salines étant altérantes fluidifient le sang, facilitent la
circulation capillaire et préviennent la stase sanguine dans les centres nerveux ; toniques, elles
rétablissent le fonctionnement régulier des organes

et ramènent la sensibilité et le mouvement dans les parties qui en étaient privées. Le mode d'administration des eaux est révulsif au dehors en congestionnant la peau au détriment des viscères; il est dérivatif par son action sur le tube intestinal, ajouterai-je encore avec M. Caillat, que les eaux chlorurées sont spécifiques de la paralysie; elles ont une vertu spéciale dont la racine est ignorée, mais les résultats certains; si elles ne sont pas spécifiques, elles sont au moins préventives.

On peut, avec des soins chez un apoplectique, reculer la première attaque; mais celle-ci arrivée, il est plus difficile d'empêcher la deuxième, car la première laisse après elle un foyer d'irritation, une épine enfoncée dans le cerveau, et dont la présence produira à un moment donné, de nouveaux accidents. Ce caillot, ce kyste, peut disparaitre cependant; mais à la condition d'employer des moyens énergiques qui agiront d'autant plus efficacement que l'habitude, la chronicité, si je puis employer cette expression, ne sont pas complétement établies, et y a-t-il un moment plus opportun que celui qui suit l'apoplexie, lorsque le *molimen hemorrhagicum* est abattu, épuisé et ne présente que, dans un avenir éloigné, une menace de retour.

Le mode d'administration des eaux dans l'hémi-

plégie sera toujours surveillé de très près ; il chan-
gera presque chaque jour suivant les phénomènes
observés ; aussi me bornerai-je à indiquer quelques
conseils indispensables.

L'air du cabinet sera renouvelé pendant tout le
temps que durera la préparation du bain ; en y en-
trant, le malade aura soin de se couvrir la tête
avec une compresse imbibée d'eau froide ; compresse qu'il conservera au bain, à la douche et
même en s'habillant. Inutile de dire qu'il la renou-
vellera quand elle ne donnera plus au front un
sentiment d'agréable fraîcheur.

Le bain sera peu prolongé, on élèvera graduelle-
ment sa température, il alternera avec la douche
dans le cas où ces deux agents thermaux ne pourraient être supportés dans la même journée.

La douche, traitement principal (je conseille souvent sept douches et deux bains dans une semaine),
sera reçue, le malade étant assis ; elle débutera et
finira très chaude sur les pieds et les jambes,
quand le côté gauche est paralysé, la planche protectrice du thorax est indispensable.

La boisson devra déterminer des selles abondantes, et tous les cinq ou six jours un franc effet
purgatif avec l'adjonction, s'il est nécessaire, de sulfate de soude.

14

L'excitation cérébrale est rare quand le traitement est bien dirigé. L'usage réservé des eaux ne
donnera lieu ni à la poussée, ni à la fièvre thermale, qui ne seraient nullement avantageuses dans
ce cas particulier.

Je terminerai par une considération qui rassu-
rera les plus timorés. A Bourbonne, les récidives
d'apoplexie cérébrale sont très rares. Si deux cents
apoplectiques font usage de nos eaux chaque année, un ou deux au plus sont ici les victimes de
congestion ou d'hémorrhagie nouvelle ; si ces
deux cents apoplectiques étaient restés chez eux,
il est certain que dix, vingt peut-être auraient vu
se renouveler les attaques graves dont ils avaient
déjà subi les coups.

Ceci me remet en mémoire la plaisanterie d'un
hémiplégique disant à table, le jour de son arrivée : Vous me dites que les eaux de Bourbonne
sont excellentes et la preuve c'est que vous y revenez toujours depuis cinq ou dix ans. Je ne me
soucie point de revenir à Bourbonne ; si ces eaux
sont réellement efficaces qu'elles me guérissent de
suite. — Je réponds : les hémiplégiques guérissent
quelquefois, s'améliorent souvent à Bourbonne.
Nos eaux empêchent presque toujours l'aggravation, et n'est-ce rien que de ne pas mourir ? Pour

beaucoup de gens, conserver sa carcasse telle qu'elle, est encore une grosse besogne.

M. Magnin me disait : « Il y a quelques années, j'avais entre autres apoplectiques deux hommes atteints depuis sept ou huit ans, dont l'état s'entretenait assez bien. Tous les ans ils revenaient ici et allaient leur petit train. Ils résolurent d'interrompre le traitement minéral pendant un été, ce qu'ils firent malgré mes conseils très sévèrement exprimés ; je leur déclarai qu'ils risquaient leur vie. Ces deux malades moururent tous deux l'hiver qui suivit la saison d'arrêt du traitement, c'est-à-dire environ dix-huit mois après leur dernier séjour à Bourbonne. Il n'est pas douteux, pour moi, que si ces deux malades étaient revenus ici, ils auraient pu vivre encore plusieurs années. »

Paraplégies.

La paraplégie est la paralysie de la moitié inférieure du corps, c'est-à-dire des membres abdominaux, de la vessie, de l'intestin et des organes génitaux. Elle est complète ou partielle suivant l'intensité de la lésion médullaire.

Les médecins qui étudient la médecine et la bo-

tanique de la même façon, se trouvent fort à l'aise
quand ils arrivent à l'affection qui m'occupe en ce
moment. Il suffit de lire les articles que j'ai écrits
dans la revue d'hydrologie en 1865 sur la paraplégie, pour se convaincre que jamais maladie n'a été
comme celle-là, divisée en classes, ordres, genres,
espèces et variétés. MM. Leroy d'Etiolles, Brown-
Séquard et Jaccoud ont disséqué la paraplégie à
qui mieux mieux, ils ont élucidé la question, j'en
conviens, mais ils ont singulièrement compliqué
son étude.

L'étiologie est tout dans le pronostic de la paraplégie, et ce sont les causes qui, avec grande raison, ont servi aux auteurs pour établir leurs divisions. La cause, tout est là. Telle paraplégie guérira
à Bourbonne avec certitude, quoique s'annonçant
d'une désastreuse façon ; elle guérira, parce qu'elle
est fonctionnelle seulement ; la moëlle est atteinte,
sans doute, je ne crois guère aux affections sans
matière, mais elle est affectée superficiellement, il
y a arrêt passager de l'influx nerveux, mais non
suppression de la source ou chemin définitivement
clos. Tel autre malade nous arrive avec une paraplégie organique, celui-là s'améliorera peut-être
ici, mais la guérison sera longue à obtenir, plusieurs années s'écouleront avant qu'elle vienne, si
elle doit venir.

Voici brièvement résumé ce que j'ai écrit ailleurs, concernant la classification des paraplégies.

Les auteurs divisaient, il y a trente ans, les paraplégies de la manière suivante :

1° Paraplégies essentielles, idiopathiques, *sine materia,* sympathiques, etc.

2° Paraplégies symptômatiques, d'une affection de la moëlle ou de ses enveloppes, inflammation, ramollissement, apoplexie, etc.

Cette division est extrêmement commode et pratique, si elle n'est pas savante.

Raoul Leroy–d'Etiolles établit que les paraplégies indépendantes de la myélite sont produites par :

1° Les maladies des organes génito-urinaires chez l'homme ou la femme.

2° La chloro-anémie compliquée d'hystérie.

3° Les pertes sanguines exagérées ou l'anémie des membres inférieurs.

4° Les fièvres graves, l'irritation gastro-intestinale, la pellagre.

5° L'intoxication saturnine et arsénicale.

6° L'impression subite ou prolongée du froid et la diathèse rhumatismale.

7° L'asphyxie.

8° L'enfance.

9° Une compression de la moëlle par les tumeurs qui se développent dans le canal vertébral ou qui y proéminent. La compression exercée par les fractures, les luxations des vertèbres, les plaies, etc.

Je ne donnerai pas de nouveau les classifications de MM. Brown-Séquard et Jaccoud, malgré leur incontestable mérite, elles sont trop techniques pour un certain nombre de mes lecteurs.

A l'hôpital militaire de Bourbonne, les paraplégies qui se présentent le plus souvent sont, par ordre de fréquence.

    1° Paraplégies suites de myélite.

    2°   —   rhumatismales.

    3°   —   traumatiques.

    4°   —   suites de fièvres graves.

    5°   —   syphilitiques.

A l'établissement civil on observe de plus quelques paraplégies suites d'anémie, d'hystérie ou de chlorose chez les femmes ou jeunes filles. Quant aux paraplégies qui sont la conséquence de maladies des organes génito-urinaires, d'épuisement nerveux ou d'intoxication, elles sont assez rares à Bourbonne.

PARAPLÉGIE SUITE DE MYÉLITE.

La paraplégie qui est la conséquence de l'inflammation de la moëlle épinière, est la plus fréquente et la plus grave de toutes. Elle est incurable
quand il existe un ramollissement ou une induration étendue de la substance médullaire, celles qui
nous sont envoyées sont rarement dans ce cas,
grâce à Dieu ! Ce qui le prouve, c'est qu'elles sont
presque toujours entrées dans la troisième phase
de leur évolution, c'est-à-dire que l'amélioration
est déjà commencée au début du traitement minéral.

Telle que nous la recevons à Bourbonne, la paraplégie est accompagnée de douleur ou d'inquiétudes dans les membres inférieurs, de difficulté
dans l'émission de l'urine et des matières, d'insensibilité plus ou moins complète de la peau *loco
dolenti*, particulièrement à la plante des pieds. Si
le malade peut marcher, il lui semble qu'il appuie
ses pieds sur un tapis épais, il n'a pas la cons-
cience de la résistance du parquet. Enfin il est un
phénomène qui complique trop fréquemment la paralysie des membres abdominaux, je veux parler
de l'atrophie, symptôme toujours fâcheux et sur
lequel j'aurai à revenir à propos de la faradisation
adjuvante du traitement minéral.

PARAPLÉGIE RHUMATISMALE.

Cette affection ressemble exactement, quant aux symptômes, à la précédente. Il est cependant certain que, dans la majorité des cas, la lésion de la moëlle est moins profonde, aussi l'amélioration est-elle plus probable.

Voici une observation que M. Renard et moi avons relevée en 1875. M. B..., âgé de 38 ans, commis percepteur à Epinal, lymphatico-nerveux. En qualité de garde national il reçut le 12 octobre 1870 une balle qui lui traversa le bras droit et la paroi de la poitrine correspondante, en avant, au niveau de la septième côte; blessure en séton sur un espace de 20 centimètres environ. Après ce coup de feu, B... fut transporté dans une auberge saccagée et exposé aux intempéries de l'air extérieur, froid et humide, pendant huit jours. Au bout de ce temps, douleurs rhumatismales à la poitrine à droite et au niveau de la blessure, douleurs qui s'étendirent en arrière et en bas, toujours du côté droit, le gauche ne fut atteint que plus tard. Cette affection se généralisa tellement qu'en 1874 les jambes refusèrent leur service, en même temps, affaiblissement des mouvements des mains, contracture des doigts. La vessie et le rectum ont toujours bien

fonctionné. A l'arrivée à Bourbonne, le 1er août
1875, la marche est à peu près impossible, les mouvements des membres supérieurs et principalement des mains sont très-embarrassés. Douleurs
vives des reins sous forme de crises; chaque fois
qu'elles se manifestent la marche est impossible,
même avec des béquilles. Le 28 août, au départ,
l'amélioration est considérable, la marche est facile sans béquilles, les accès rhumatismaux aux
reins ont à peu près disparu, la main gauche va
bien, les doigts de la main droite sont encore con-
tracturés.

En juin 1877, L... de Sommelonne, âgé de 40 ans,
lymphatico-sanguin, atteint de paraplégie rhumatismale, incapable de faire aucun mouvement des
membres inférieurs, se tenant dans un decubitus
dorsal permanent, portant au sacrum une vaste
eschare, est envoyé à Contrexéville par le docteur
Lhomme de Saint-Dizier, avec cette étiquette : paraplégie d'origine urique.

L... est graveleux en effet, par intermittences.
Mon vieux camarade d'études, le docteur Aymé
de Contrexéville, me renvoie ce malade, que je
renvoie moi-même à Sommelonne en conseillant
des ventouses à outrance sur la région lombaire.
Ce traitement réussit suffisamment pour permettre

à L... de revenir en septembre de cette même année; nos eaux le remirent alors sur pied, avec des
béquilles bien entendu, mais l'amélioration était
remarquable.

En 1878, L... revint à Bourbonne avec des can-
nes, et à l'automne il put faire ses semailles. Nous
le revoyons encore ici de temps à autre, par reconnaissance, dit-il, car il est guéri ; son histoire
réconforte les malheureux qui, comme il a été, ne
peuvent encore se mouvoir.

M. Brown-Séquard pense que la paraplégie rhumatismale dépend d'un épanchement séreux dans
le canal vertébral ou d'une congestion veineuse.
Le plus souvent elle succède à un lumbago négligé.
L'inflammation musculaire gagne-t-elle de proche
en proche, ou retentit-elle sympathiquement sur la
moëlle ? je l'ignore ; ce qui est malheureusement
certain, c'est la paralysie.

La paralysie rhumatismale, quoique moins grave
que celle qui suit la myélite ordinaire, est cependant souvent rebelle à tous traitements. On ne doit
pas attacher une trop grande importance à la paralysie du rectum et de la vessie plus fréquente
ici peut-être que dans toutes les maladies du même
genre; l'incontinence disparaît assez vite sous l'influence des eaux ; quant à la rétention elle présente
plus de difficultés à vaincre.

PARAPLÉGIE TRAUMATIQUE.

J'ai vu des miracles de guérison concernant cette catégorie d'affection. Des paraplégies produites par des fractures, luxations, contusions énormes de la région vertébrale se sont améliorées et guéries à Bourbonne.

S..., soldat d'artillerie de marine, arrivé à l'hôpital militaire en mai 1869, est tombé vingt et un mois auparavant d'un troisième étage et s'est brisé la colonne vertébrale en deux endroits, niveau de la sixième vertèbre dorsale et première lombaire, une énorme cicatrice à la région sacrée indique assez quelle contusion a été produite en même temps à cet endroit. Paraplégie complète ; on apporte ce malade à mon cabinet d'électricité. Il existe une incontinence d'urine et la rétention des matières.

Cet homme qui, pendant vingt et un mois, malgré les traitements les plus énergiques, n'a obtenu qu'une amélioration insignifiante, a vu, après deux saisons à Bourbonne et quarante-quatre séances d'électricité, la sensibilité et la contractilité électro-musculaire nulles à l'arrivée, rétablies presque complètement au départ, les fonctions intestinales et vésicales régularisées, et enfin, fait plus

curieux encore, ce militaire a pu marcher avec
l'aide d'un infirmier, dès le commencement de la
deuxième saison, depuis la salle qu'il occupe jusqu'à celle où mon service était établi, et séparées
l'une de l'autre par une distance d'environ trente
mètres.

PARAPLÉGIE SUITE DE FIÈVRES GRAVES.

A l'article affaiblissements organiques, j'ai dit un
mot de la paraplégie consécutive aux fièvres graves et en particulier à la fièvre typhoïde, à la variole et au choléra. La véritable cause de cette
paraplégie est-elle la myélite déterminée directement par une inflammation de voisinage ? J'ai remarqué que presque tous les paraplégiques de cet
ordre portaient les traces cicatricielles de larges
eschares situées à la région vertébrale.

Le décubitus dorsal seul ne serait pas suffisant
pour expliquer la paraplégie, car les fractures de
cuisse, par exemple, qui nécessitent un séjour prolongé au lit, ne sont pas suivies de paralysies.
Plusieurs causes agissent sans doute à la fois : la
septicémie, la congestion, etc. Quoi qu'il en soit,
autant l'affaiblissement organique est facile à guérir à Bourbonne, autant la véritable paralysie est
réfractaire au traitement thermal.

Personne n'avait songé encore à séparer ces deux lésions si différentes. Je crois rendre un véritable service aux médecins, en établissant cette distinction, car le pronostic n'est plus le même dans le premier ou le second cas.

J'ai étudié plus en détail, dans ma brochure « de l'électricité à Bourbonne », les paralysies suites de fièvres graves, assez variées, quoiqu'en général limitées à un ou deux membres. La paralysie des avant-bras, entre autres, n'est pas rare ; elle cède facilement à l'application thermale. Je l'attribue à la persistance que certains malades mettent à ne pas tenir leurs bras sous les couvertures ; le froid agit sur des parties prédisposées et produit une paralysie mixte, tenant également du rhumatisme et de l'état général.

J'ai parlé déjà des paralysies syphilitiques, elles s'améliorent, comme nous l'avons vu, assez vite à Bourbonne.

TRAITEMENT MINÉRAL DES PARAPLÉGIES.

La paraplégie comporte bien mieux encore que l'hémiplégie le traitement thermal, parce qu'elle n'est pas toujours, comme sa voisine, la conséquence d'un désordre pathologique appréciable.

Elle est souvent, au contraire, une maladie *sine materia*, pour employer une mauvaise expression, car il n'y a pas de maladie sans matière ; il n'existe que d'insuffisants observateurs ou d'insuffisants moyens d'observation. La cause de la paraplégie est fréquemment fugace, si je puis m'exprimer ainsi, les eaux en ont plus facilement raison que de l'hémiplégie.

Contre l'inertie du rectum, la douche ascendante bien appliquée rend de signalés services.

La douche à température élevée constituera presque tout le traitement de la paraplégie, quand celle-ci aura le froid pour cause. Si, au contraire, elle est la conséquence d'abus vénérien, on administrera des douches tièdes, 25° ou 30° ; chaudes, elles produiraient peut-être une excitation plus propre à fomenter qu'à réprimer les entraînements habituels du malade.

La colonne d'eau sera dirigée sur les membres inférieurs, puis sur l'épine dorsale et les régions voisines, sans oublier le périnée : tiède sur les reins, chaude sur les fesses et les cuisses ; brûlante sur les jambes et les pieds. Le bain et l'eau à l'intérieur ne seront pas négligés dans la cure, mais la douche a une importance majeure. S'il existe habituellement de la pesanteur dans les lombes, ne

craignez pas de faire appliquer une fois par semaine huit ou dix ventouses scarifiées *loco dolenti*,
ce jour-là le malade ne prendra bien entendu ni
bain ni douche.

Paralysie générale.

La paralysie générale peut être produite par une
hémorrhagie cérébrale très abondante, capable de
désorganiser une grande partie du cerveau ou par
un épanchement, même médiocre, dans les ventri-
cules. Ces accidents se comportent exactement
comme l'hémorrhagie cérébrale ordinaire et demandent le même traitement, puisqu'ils ont la
même cause. J'arrive de suite à l'affection que l'on
est convenu d'appeler paralysie générale progressive, et qui est produite par le ramollissement de la
couche corticale du cerveau, suivant M. Parchappe.

Cette paralysie atteint primitivement toutes les
parties du corps ; elle s'accompagne de désordres
graves dans les facultés intellectuelles et surtout
d'embarras de la parole.

M. Falret admet quatre variétés de paralysie
générale : 1° Variété congestive ; 2° variété paraly-

tique, la plus fréquente, débutant par de l'hésitation dans certains mouvements et une altération marquée de l'intelligence ; 3° variété mélancolique ; 4° variété expansive. Ces deux dernières divisions rentrent dans la paralysie générale des aliénés qui ne renferme pas absolument les deux premiers cas.

M. Durand Fardel, très-versé, comme on sait, dans l'étude des maladies du cerveau, estime que la paralysie générale contre-indique le traitement minéral. Le succès n'est jamais bien brillant à Bourbonne, comme ailleurs, cependant les eaux chlorurées sont peut-être encore le meilleur moyen connu à lui opposer.

Paralysies localisées.

L'hémiplégie, la paraplégie sont des paralysies localisées, mais considérant avec raison qu'elles dépendent de lésions graves du système nerveux central, les auteurs les étudient à part. Sous le nom de paralysies localisées, je comprends seulement le trouble accidentel qui survient dans les fonctions actives de la moëlle, d'un ou plusieurs nerfs, trouble causé le plus ordinairement par le froid, la compression, contusion ou blessure du

cordon nerveux lui-même, les impressions morales vives, la suppression des règles ou d'une éruption morbide, etc.

Les paralysies localisées les plus fréquentes
sont : les paralysies infantiles, l'hémiplégie faciale
et la paralysie du deltoïde à la suite de chute ou de
choc sur l'épaule.

PARALYSIE INFANTILE.

La paralysie infantile apparaît le plus ordinairement à l'époque de la dentition, de six à dix mois ;
elle s'adresse aussi bien aux enfants vigoureux
qu'aux autres et atteint brusquement un ou plusieurs membres. Si elle n'est précédée ni de convulsion, ni de fièvre, elle disparaît assez vite et se
conduit comme une paralysie *a frigore*. Si des
symptômes généraux accompagnent son début et
son évolution, c'est que la moëlle est prise, congestion ou inflammation des cornes antérieures de la
substance grise, quelquefois des cornes postérieures, ce que l'on peut supposer quand la douleur
apparaît.

Cette forme de paralysie est souvent grave, elle
peut être générale au début, mais finit presque
toujours par se transformer en hémiplégie ou pa-

raplégie, elle se limite souvent même à un seul
membre, et encore à un ou plusieurs muscles d'un
membre seulement.

Quand l'atrophie apparaît, les déformations articulaires commencent et peuvent simuler des luxations, tellement elles sont considérables. C'est alors
qu'on nous envoie les enfants afin de leur faire
suivre le traitement thermal et l'électricité.

Chaque année nous avons des résultats excellents, et des guérisons inespérées se produisent
par le traitement mixte que je préconise ici.

HÉMIPLÉGIE FACIALE.

La paralysie de la septième paire est presque
toujours de nature rhumatismale, elle se prend
merveilleusement bien en voiture, quand une joue
est exposée à l'air froid qui souffle par une por-
tière entr'ouverte; elle est quelquefois aussi la conséquence de l'application du forceps, j'en ai cité
plusieurs exemples dans ma thèse.

Parmi mes observations, en voici une qui est
particulièrement remarquable. J'ai eu à électriser
à l'hôpital le capitaine A..... qui contracta une
hémiplégie faciale de la manière que voici. Un
matin, sans avoir éprouvé les jours précédents une

fièvre bien accusée, le capitaine s'éveilla la figure
couverte de boutons de varioloïde; adjudant-major,
il devait tracer ce jour même la route de son régiment et tenait à ne pas manquer à ce devoir.
M. A..... avait entendu dire que les applications
d'eau froide faisaient rapidement disparaître les
éruptions, il n'hésita pas à se débarbouiller immédiatement avec de l'eau glacée. Son attente ne fut
pas trompée, les boutons disparurent comme par
enchantement, mais en même temps, *deux heures*
après l'emploi de ce singulier moyen abortif, la
bouche était tirée à gauche et le côté droit de la
face s'était aplati d'une façon sensible. M. A.....
resta plusieurs semaines au lit à la suite de cette
aventure pour y être traité d'une variole intestinale confluente qui mit ses jours en danger; quant
à l'hémiplégie, elle s'était accentuée chaque jour. A
son domicile, M. A..... fit usage de l'électricité pendant deux mois sans succès. A Bourbonne, les
eaux et l'électricité produisirent une amélioration
remarquable et dont furent surprises toutes les
personnes qui connaissaient le capitaine.

Je le répète encore, l'impression du froid est,
de beaucoup, la cause la plus fréquente de l'hémiplégie faciale. Cependant les blessures de la septième paire ne sont pas rares dans l'enlèvement

des tumeurs de la region parotidienne ; les contusions du nerf facial sont également assez communes.

J'ai observé plus de trente hémiplégies faciales à Bourbonne, le plus grand nombre a été amélioré par des douches chaudes, administrées avec un arrosoir très fin. L'électricité est d'un plus grand secours encore.

PARALYSIE DU DELTOÏDE.

Chez les cavaliers, cette paralysie est fréquente à la suite de chute sur l'épaule avec ou sans luxation. Elle ne reste pas toujours limitée au deltoïde, souvent elle gagne le membre supérieur tout entier et devient extrêmement difficile à guérir. Son mécanisme a soulevé maintes discussions.

J'ai, dans mon essai sur la paralysie suite de contusion des nerfs, rangé sous cinq chefs les causes invoquées par leurs auteurs : 1° Déchirure des nerfs (Flaubert) ; 2° Compression des nerfs (Van-Swieten, Bichat, Boyer, Asthley-Cooper); 3° Commotion nerveuse (Malgaigne); 4° Lésion du tissu musculaire (Empis); 5° Contusion des nerfs, et en particulier du nerf circonflexe (Nélaton).

La paralysie du deltoïde se comporte exactement comme celles qui sont la conséquence de la
contusion des nerfs, paralysies fréquentes dans les
cordons nerveux qui rampent superficiellement
près des os, par exemple le nerf frontal, le cubital
entre l'olécrane et l'épitrochlée, le nerf fémoral à
son passage sur le pubis, le nerf sciatique au niveau de la tubérosité de l'ischion ; j'ai déjà parlé
du nerf circonflexe huméral ; ajoutons le plexus
brachial et l'engourdissement très prononcé des
mains et même la paralysie qui se manifeste chez
les personnes qui se servent mal de leurs béquilles.

Toutes ces paralysies guérissent assez bien à
Bourbonne quand il n'y a pas un dommage trop
considérable dans la substance nerveuse ; elles
comportent le traitement minéral le plus énergique
et l'emploi de la faradisation.

Les paralysies sont presque toujours occasionnées par une lésion grave des centres ou des cordons nerveux. Toutes cependant ne sont pas ren-
fermées dans ce cadre, il en est qui semblent
uniquement fonctionnelles, car elles échappent aux
investigations anatomiques les plus délicates.

La diminution ou l'altération des éléments du

15.

sang explique suffisamment la paralysie qui accompagne ou suit l'anémie ou la chlorose, mais quant à la cause intime des paralysies nerveuses ou vaporeuses comme les appelle Chevalier, elle paraît plus difficile à saisir et déroute les praticiens.

L'hystérie est de toutes les névroses la maladie qui produit le plus souvent la paralysie. Macario voit dans cet accident une déperdition, une véritable hémorrhagie du fluide nerveux ; Valerius, l'affaiblissement de la polarité électrique des muscles ; Brown-Séquard, une paralysie réflexe ; Brodie, le défaut d'impulsion nerveuse motrice centrale.

Les recherches de ces auteurs sont fort intéressantes certainement, mais bien plus encore pour nous celles de Chevalier qui, sur quinze cas de paralysies hystériques relevés à Bourbonne, constate quinze améliorations ou guérisons.

II. — ATAXIE.

Cette affection particulière, connue depuis fort longtemps à Bourbonne, surtout à l'hôpital militaire, et définitivement séparée du groupe des paraplégies par Duchenne de Boulogne, est caractérisée par un défaut de coordination des mouvements volontaires compliqué ou non de paralysie de la sensibilité et du mouvement.

Cette maladie paraît produite par une lésion particulière de la moëlle, sclérose des cordons postérieurs dans une étendue variable, et atrophie des racines postérieures des nerfs.

Le début de l'ataxie locomotrice est presque toujours signalé par des douleurs extrêmement vives, dont le siège varie à l'infini, et par une paralysie très-marquée des nerfs moteurs de l'œil et des nerfs optiques. Un peu plus tard le malade accuse une grande faiblesse dans les membres inférieurs, il jette la jambe en se pressant s'il veut changer de place ; la marche devient rapidement saccadée et difficile ; dans l'obscurité ou si l'ataxique ferme les yeux, elle est complètement impossible. Les membres supérieurs se prennent à leur tour, le malheureux infirme ne peut se servir convenablement de ses mains, il exécute les mouvements les plus bizarres, et ses tentatives pour boire ou manger seul sont presque constamment infructueuses. Il y a généralement en même temps diminution de la sensibilité électro-musculaire de la peau et des muscles.

En résumé, trois périodes : 1ʳᵉ, douleurs fulgu-
rantes dans la longueur des membres et troubles
de la vision, amaurose, strabisme, etc. ; 2ᵉ, ataxie,
c'est-à-dire incertitude des mouvements, la volonté
ne les dirigeant plus ; 3ᵉ, paralysie générale. Vous
verrez à Bourbonne un très-grand nombre d'a-
taxiques que nos eaux bromurées maintiennent
depuis dix ans et plus dans la deuxième phase
de leur maladie, prévenant tout *ictus* ou choc
nouveau.

Les causes de l'ataxie n'ont pas été étudiées jusqu'ici. Les auteurs ont laissé faute d'éléments, je
crois, dans une parfaite obscurité, cette très-im-
portante question. A Bourbonne, nous sommes
mieux placés que qui que ce soit pour combler
cette lacune. Je n'ai pas la prétention de le faire,
mais d'y contribuer suivant mes forces.

Voici, dans leur ordre de fréquence, les causes
que j'ai pu saisir chez les ataxiques soumis jusqu'ici à mon observation.

1° Fatigues excessives.

2° Fièvres graves, maladies prolongées, déper-
ditions organiques. Est-ce à cause du decubitus
dorsal qui dure souvent des semaines et des mois
et de la congestion spinale qu'il occasionne ?

3° Excès vénériens et syphilis.

Plusieurs médecins ont regardé les excès vénériens comme effet et non comme cause de l'ataxie. C'est, je pense, une grave erreur. Rien n'annonce l'ataxie quand se produisent les abus de coït, ils sont souvent même déterminés par une occasion ou un hasard marqué, tel que violente passion ou tempéramment génital exagéré ; aussi je n'hésite pas à conserver cette cause que j'ai observée souvent.

4° Refroidissements et rhumatismes. Voyages fréquents et prolongés en chemins de fer dans des voitures mal suspendues permettant une forte trépidation.

5° Chagrins et nostalgie.

Les soldats de marine sont bien plus exposés que les autres à devenir ataxiques et leur malheureux état est dû souvent au regret de la patrie absente.

6° Hérédité.

7° Chutes sur les reins et la tête.

Quelles déductions thérapeutiques peut-on tirer de l'étiologie ? De très-sérieuses, si l'ataxie est une névrose comme le veut Trousseau, de médiocres si dans tous les cas on trouve des lésions anatomiques profondes, et malheureusement il en est ainsi, je le crains.

Le médicament le plus employé par la majorité
des médecins dans l'ataxie est le nitrate d'argent.
Les eaux de Bourbonne en boisson, bains et douches, grâce à leurs propriétés toniques équilibrantes, donnent des résultats bien autrement avantageux. Elles ne fournissent pas dans l'ataxie locomotrice des succès aussi brillants que dans certaines autres maladies ; en revanche on peut dire
qu'elles sont et seront longtemps encore le meilleur
moyen à opposer à la sérieuse affection que je viens
d'esquisser.

La paralysie agitante ou *maladie de Parkinson*
présente plusieurs symptômes analogues à ceux
de l'ataxie.

Les habitués de Bourbonne connaissent ces
pauvres gens qui arrivent aux Bains, le corps
penché en avant, la tête raide, en sautillant, trot-
tinant sans pouvoir s'arrêter. Le tremblement est
perpétuel chez eux, excepté pendant le sommeil ;
limité ordinairement à la main dans le début, il
s'étend plus tard à tout le corps, à moins qu'un
traitement efficace n'enraye la maladie. La cause
paraît souvent être celle de la crampe des écri-
vains. Parmi mes clients de cette catégorie, je
relève plusieurs hommes de bureau et d'écriture ;
un joueur de violon, pris par la main gauche, un

épicier qui cassait plusieurs heures par jour du
sucre et dont la main droite sujette à des fourmil-
lements d'abord, trembla ensuite, un cultivateur
de Bourbonne, M.., qui après avoir fauché s'endor-
mit la main dans l'herbe humide et fut pris d'hémiplégie agitante qui débuta par la main refroidie. Les
émotions vives, l'abus du tabac, la syphilis, la sénilité
sont souvent invoquées avec raison. La paralysie est
ascendante, elle monte en dansant, selon l'expression de plusieurs malades, jusqu'à l'épaule, descend le long du thorax et gagne le membre inférieur. Des troubles cérébraux, des vertiges
accompagnent cette affection, qui laisse cependant
l'intelligence longtemps intacte.

Nos eaux prises en bains sédatifs combattent
très-efficacement cette singulière affection, la douche en revanche réussit mal.

III. — NÉVRALGIES.

La névralgie consiste dans une douleur plus ou
moins vive qui a son siège sur le trajet d'un nerf;
elle est plus pénible à certains points spéciaux
qui sont, comme le dit Valleix, des foyers douloureux d'où partent, à des intervalles variables,
des élancements et autres souffrances analogues.

Les livres d'hydrologie ont bientôt réglé le compte des névralgies. Elles comportent, disent-ils, le même traitement que le rhumatisme et nécessitent surtout l'emploi des eaux chlorurées à minéralisation faible. Les médecins en général s'occupent plus de la thermalité que de la minéralisation des eaux qu'ils conseillent contre les névralgies.

Il y a là une grave erreur, et tous mes confrères de Bourbonne me donneront raison; car, comme moi sans doute, ils voient chaque année plusieurs sciatiques retour de Luxeuil ou de Plombières. A ces stations, l'effet cherché manque souvent, et ce n'est qu'à son défaut absolu que les malades se décident à essayer d'eaux qu'ils jugent plus énergiques. Rarement leur attente est trompée à Bourbonne; et pour ne prendre que la statistique que j'ai en ce moment sous les yeux, je dirai que M. Tamisier a obtenu, sur 74 sciatiques, 20 guérisons immédiates et 39 améliorations.

Les eaux agissent de plusieurs façons contre les névralgies, d'abord, par révulsion à la peau, si on emploie une thermalité élevée, pouvant produire une sudation et une rubéfaction marquée. La douche exerce en outre une sorte de massage éminemment favorable. Il est hors de doute également que les eaux toniques salines activent la nutrition du système nerveux. Pour faciliter ces effets divers, l'administration des eaux devra être complète et judicieusement dirigée. Les précautions hygiéniques seront exagérées par les personnes atteintes de névralgie, c'est pour elles surtout que je les ai minutieusement décrites dans un article spécial.

Les névralgies sciatique, intercostale et faciale sont les plus fréquentes ; les névralgies occipitale et lombo-abdominale se présentent plus rarement à notre observation.

SCIATIQUE.

On donne le nom de sciatique à la névralgie du grand nerf de ce nom. Elle consiste en une douleur vive, siégeant de préférence au niveau du sacrum, de l'articulation de la cuisse, du grand trochanter, sur tout le parcours du nerf le long de la cuisse, dans le creux du jarret, au niveau de la tête du péroné et de la malléole externe. La pression du doigt et les mouvements augmentent cette douleur dont la cause occasionnelle est surtont le froid humide.

Quand la sciatique a récidivé une ou plusieurs fois, quand le traitement et les soins hygiéniques n'ont pas été parfaitement suivis dans l'intervalle des accès, elle devient chronique et souvent erratique. Sa marche et ses allures ne sont plus aussi franches, le traitement ordinaire manque son effet, et le patient est, en désespoir de cause, dirigé seulement sur une station minérale.

Le traitement hydro-thermal sera presque toujours heureux dans les névralgies en nappe, celles qui occupent une grande surface et encore dans celles qui sont mobiles et superficielles. Si la douleur est profonde, fixe et ancienne, trois choses qui vont presque toujours ensemble, les applications fortes ne seront pas de trop. Employez la douche brûlante et à grand canal, vous augmenterez peut-être la douleur en commençant, mais en même temps vous la déplacerez, et ce déplacement sera le premier indice de l'amélioration. Une fois la douleur délogée, modérez le traitement, revenez aux bains et aux douches tièdes et fines qui conviennent si bien aux névralgies superficielles et mobiles; dirigez la douche obliquement chez les personnes nerveuses et même par réflexion quand il y a une susceptibilité extrême; augmentez chaque jour son intensité et sa température. Réservez la douche perpendiculaire pour les vieilles sciatiques fixes, non-seulement à cause de l'effet im-

médiat, mais encore en prévision même de l'exacerbation consécutive.

Il est très important que les malades n'oublient
jamais d'appliquer sur la peau bien sèche une flanelle étroite bien chaude.

Il existe souvent deux espèces de douleurs dans
une même cuisse, l'une permanente, sourde, gê-
nant la marche et donnant au membre une sensation de pesanteur incommode, cette douleur simule
quelquefois assez bien la paralysie ; elle peut, du
reste, s'accompagner d'atrophie ou au moins d'a-
maigrissement des muscles ; elle comporte un
traitement minéral prolongé : les bains, douches,
et boisson seront administrés comme pour le rhumatisme musculaire. La deuxième douleur est aiguë et intermittente ; j'ai indiqué le traitement qui
lui convient. Quand ces deux douleurs existent à
la fois, ce qui est fréquent, on est obligé à plus de
précautions ; il faut tâter, essayer les moyens qui
conviendront le mieux, en passant, comme de
juste, des plus doux aux plus forts.

NÉVRALGIE INTERCOSTALE.

La névralgie intercostale siège principalement
entre la septième et la huitième côte, plutôt à gau-

che qu'à droite, avec trois foyers de douleurs bien
marqués ; l'un en arrière ou vertébral, l'autre la-
téral, et le dernier antérieur ou sternal. Dans tout
l'espace intercostal affecté, et même sur une étendue du thorax bien plus considérable, la douleur
est sourde, permanente, s'exaspérant surtout par
les mouvements brusques; quant aux trois foyers,
leur présence est facile à constater par la pression digitale ; ils sont les points de départ des
grandes et vives douleurs qui durent peu heureusement, car elles sont extrêmement pénibles.

Les névralgies intercostales, ainsi que les suivantes sont rares à l'établissement civil, mais communes à l'hôpital. Leur traitement comporte l'application délicate de la douche tiède et en arrosoir
fin, par réverbération seulement sur le côté gauche.

NÉVRALGIE FACIALE.

Le froid est encore la cause la plus commune de
la névralgie faciale, cependant ici les affections
chirurgicales agissent souvent, je placerai en
première ligne la carie des dents.

De toutes les névralgies, de toutes les maladies,
peut-être, la névralgie faciale est la plus douloureuse et la plus difficile à soulager. Celles que

nous recevons ne sont pas toujours extraordinairement graves, cependant elles s'accompagnent
souvent d'hypéresthésie de la peau, de larmoie-
ment et quelquefois même de paralysie du mouvement.

L'électricité, prenant un rôle important dans le
traitement des névralgies, j'y reviendrai plus tard.

6° Traumatismes
et Maladies chirurgicales diverses.

« Les coups, contusions, les cicatrices, les vul-
neres et playes soyent d'espée, baston, pierre ou
balle se trouvent bien à Bourbonne. » Cette assertion de Jean Lebon n'a jamais été contestée, et on
peut dire avec raison que le plus grand nombre des
médecins regardent les eaux de Bourbonne comme
spécifiques contre les accidents qui résultent des
traumatismes.

Je vais passer en revue les affections chirurgicales qui peuvent être améliorées ou guéries par
un traitement minéral bien entendu.

ENTORSES ET LUXATIONS.

Le mouvement forcé qui produit l'entorse ne déplace que temporairement les surfaces articulaires, il les dissocie d'une façon permanente s'il s'exagère au point d'amener une luxation, accident qui comporte toujours une opération chirurgicale destinée à rétablir le contact des os et le fonctionnement régulier de la jointure. Dans les deux cas, outre la contusion des tissus et quelquefois la fracture des os, il existe un tiraillement marqué ou une rupture complète des ligaments, des tendons, des muscles, des vaisseaux et des nerfs qui avoisinent l'articulation atteinte, la synoviale elle-même est souvent meurtrie ou déchirée.

Ces accidents tous possibles dans les luxations et les entorses entraînent des conséquences graves, surtout par la nécessité impérieuse où se trouve le chirurgien d'exiger une immobilité complète et prolongée de la partie malade. Le repos absolu d'une articulation saine, quand il dure un mois ou deux, amène presque toujours la faiblesse momentanée des mouvements. Quand une fracture de jambe, par exemple, est guérie, le patient est tout étonné de ne pouvoir fléchir le genou ou le pied ; petit à petit, la force musculaire reparaît, il n'est pas rare de la voir se faire attendre long-temps. S'il en est ainsi quand l'articulation n'a pas de mal, qu'adviendra-t-il si elle est immobilisée, après avoir été atteinte de déchirure des liga-ments, des vaisseaux et des nerfs, contusion des tissus, etc., toutes choses qui se trouvent fréquem-ment dans l'entorse et presque toujours dans la luxation.

Défiez-vous des arthrites traumatiques, déve-loppées directement par luxations ou fractures chez les rhumatisants et les goutteux. En temps ordinaire ces affections guérissent seules et facile-ment, mais chez les rhumatisants et les goutteux il faut beaucoup de temps pour arriver à une réso-lution trop souvent incomplète. Le médecin, lors de l'accident, s'il immobilise, provoque l'ankylose; s'il excite des mouvements, il détermine des re-chutes. Son rôle est embarrassant et se termine presque toujours par l'envoi à Bourbonne.

Les eaux de Bourbonne sont merveilleuses con-tre la faiblesse, la tuméfaction, l'endolorissement des articulations tiraillées ou disjointes. Le bain et la douche seront surtout éminemment utiles chez les personnes lymphatiques victimes de trauma-tisme articulaire lent à guérir et capable de donner lieu à une tumeur blanche.

L'application des boues minérales en topiques rend souvent des services marqués dans le cas particulier dont il s'agit, ce moyen est trop oublié par les médecins, ainsi que les fomentations d'eau minérale ; ces applications nécessitent des précautions et une certaine manière de faire ; car, très-chaudes, elles congestionneraient une partie qui ne l'est que trop ; prolongées, elles ramolliraient des tissus déjà engorgés par un excès de liquides et relâchés outre mesure.

La douche comportera plus encore une surveillance exacte, elle ne sera jamais très-chaude ni de longue durée. Sur une tumeur blanche, dirigez une douche discrète, maintes fois le bain et l'eau à l'intérieur avec quelques fomentations de boues minérales seront seules indiquées.

FRACTURES.

Les fractures comme les entorses et les luxations laissent après leur guérison de la faiblesse, du gonflement, des douleurs plus ou moins vives, un amaigrissement marqué du membre victime de l'accident initial. Il est probable que les moyens contentifs employés produisent tout ou partie de ces diverses complications qui, du reste, guérissent vite à Bourbonne.

La syphilis, le cancer, la goutte, le scorbut, le rhumatisme, les fièvres graves, le rachitisme, une coaptation imparfaite, et plus que tout cela, un bandage mal exécuté empêchent quelquefois la consolidation d'une fracture ou entraînent la formation d'un cal peu solide, qui peut se rompre sous l'influence d'un choc insignifiant. Si le malade se trouve à Bourbonne quand arrive l'accident ou s'il y est venu précédemment, on ne manque pas de dire que les eaux ont ramolli le cal, que leur emploi est pernicieux si la fracture n'a pas dix-huit mois de date comme l'a annoncé M. Mélier.

M. Renard dans sa longue pratique, M. Cabrol et tous les médecins civils et militaires qui ont observé les effets des eaux de Bourbonne, n'ont jamais vu de ramollissement du cal causé par le traitement minéral. L'observation de MM. Tamisier et T. Causard ne me semble pas concluante, ces deux médecins n'y ont jamais du reste attaché une grande importance.

Que tout le monde se rassure, que personne n'appréhende les eaux de Bourbonne, même dans les cas de fracture récente. Si le cal est solide, si la constitution du blessé est bonne, le seul phénomène produit par le traitement minéral sera l'amélioration demandée.

16

Pour en finir avec ce sujet, je dirai que M. Bougard a eu la patience dans les *Eaux salées chaudes de Bourbonne* de reproduire les passages des différents auteurs qui ont étudié le ramollissement du cal des fractures à Bourbonne. Tous les faits reproduits par notre confrère sont évidemment copiés les uns sur les autres, et Baudry me paraît responsable de cette grande mystification qui a trouvé place dans chaque publication nouvelle.

L'application des eaux variera bien entendu suivant le but qu'on se propose d'atteindre. Contre la faiblesse musculaire, l'amaigrissement, l'insensibilité de la région blessée, la cure sera énergiquement conduite, une douche forte et prolongée ne sera pas de trop pour combattre l'inertie ou la paralysie des muscles et de la peau.

S'il existe de l'œdème, du gonflement, des douleurs au niveau de la fracture, l'emploi de la douche sera réservé, non pas à cause de la possibilité d'une rupture du cal, mais bien de l'exagération des accidents contre lesquels on est appelé à agir.

S'il existe des esquilles dans le foyer d'une fracture comminutive, suppuration et fistules, la douche méthodiquement appliquée mettra en mouvement le ou les séquestres qui viendront faire issue à l'orifice externe de la fistule. Chaque année nous voyons à Bourbonne se tarir ainsi d'interminables suppurations.

CONTUSIONS.

J'ai déjà parlé des contusions des nerfs, j'y reviendrai encore à propos des applications du galvanisme. Les contusions de la peau, du tissu cellulaire, des muscles et des vaisseaux peuvent, quand elles sont suivies de perte de substance, de suppuration, d'induration, d'épanchement ou collection, indiquer le traitement minéral. Les contusions des os ressemblent beaucoup aux fractures et comportent à peu près les mêmes soins.

BLESSURES, CICATRICES, CONGÉLATIONS.

Les fractures occasionnées par les coups de feu sont toujours graves, elles laissent après elles des suppurations intarissables entretenues par la présence au sein des tissus d'esquilles, de balles, de fragments d'étoffe ou encore par la nécrose des extrémités osseuses. Les eaux déterminent autour de ces corps étrangers une vive inflammation accompagnée d'une secrétion abondante de pus qui entraîne, au dehors, les matières irritantes.

Il est fréquent de voir à Bourbonne des militaires qui récoltent en quelques jours un nombre
considérable d'esquilles ; c'est ainsi qu'en peu de
temps se tarissent des trajets fistuleux qui duraient
depuis plusieurs années.

L'application de la douche sera surveillée de près
quand se produiront les phénomènes favorables
que je viens de signaler. Il peut être utile d'injec-
ter de l'eau minérale dans les fistules, surtout quand
des corps étrangers y sont engagés.

Les blessures par armes à feu, comme celles qui
sont produites par les armes blanches, laissent
souvent après elles des cicatrices adhérentes et
douloureuses. L'application convenable des eaux
produit, dans un certain nombre de cas, la rupture
des adhérences, et fait plus curieux encore, l'al-
longement du tissu cicatriciel.

M. Therrin a établi d'une manière positive la
supériorité de nos eaux dans les accidents graves
produits par une forte congélation. Tous les militaires de la garde impériale envoyés à Bourbonne à
la suite de la guerre de Russie y ont éprouvé des
soulagements notables.

ANKYLOSES.

L'ankylose est caractérisée par l'abolition ou la gêne des mouvements d'une articulation. Si les mouvements sont abolis, il y a soudure des os, l'ankylose est complète et son traitement nul, une opération chirurgicale grave pourra seule remédier à ce fâcheux état. S'il y a gêne des mouvements et possibilité d'en exécuter même de très minces, les eaux seront parfaitement indiquées.

Les ankyloses incomplètes sont produites par l'érosion ou le desséchement des surfaces articulaires, par l'épaississement de la synoviale, l'induration du tissu cellulaire, le défaut de souplesse des ligaments ou la rétraction des muscles. Toutes ces causes agissent séparément ou à la fois, elles sont le plus souvent déterminées par l'immobilité prolongée de l'articulation à la suite de fractures, d'entorses ou de luxation dans son voisinage ; par l'inflammation, les plaies, les contusions, les fractures ou luxations de l'articulation elle-même.

Les mouvements sont plus ou moins bornés, plus ou moins douloureux dans l'ankylose incomplète ; le traitement thermal a plus ou moins de difficultés à vaincre. Il est rarement tout à fait

16.

inefficace dans les formes graves, c'est-à-dire celles dont la cause est intra-articulaire ; il est presque toujours très-avantageux dans les formes
légères, celles qui sont occasionnées par l'épaississement, l'induration ou la rétraction des parties
molles externes.

La douche très-forte et prolongée sera particulièrement utile ainsi que les cataplasmes de boue
minérale dans l'ankylose indolore. Quant à celle
qui est accompagnée de gonflement péri-articu-
laire et de douleur, son traitement ressemblera à
celui que j'ai indiqué pour le rhumatisme et l'entorse, il faudra procéder lentement et observer avec
soin les effets produits par les premières douches.

Il est indispensable que le malade cherche à
étendre, pendant l'application minérale et immédiatement après, les mouvements possibles la
veille. Le massage bien dirigé pourra rendre des
services, à condition qu'il sera mené très-douce-
ment ; plusieurs garçons de bains sont exercés à
cette pratique que je recommande souvent.

HYDARTHROSE.

L'hydarthrose chronique trouve à Bourbonne un
traitement approprié. L'hydropisie de la séreuse

articulaire du genou, à la suite d'entorse ou de chute, est de beaucoup la plus fréquente ; elle comporte des douches légères et tièdes.

Le retour à l'état aigu étant toujours à craindre, le malade prendra garde que les phénomènes qui accompagnent l'application des eaux ne suivent une marche trop rapide. Le développement d'accidents aigus peut déterminer quelquefois une guérison définitive ; mais il peut aussi exagérer l'état chronique et devenir pernicieux.

Il faut protéger l'articulation malade avec une compresse pliée en plusieurs doubles pendant la douche, et supprimer complètement le traitement thermal, si la peau devient chaude ou rouge.

L'hydarthrose est fréquente et tenace chez les sujets lymphatiques ; elle comporte, dans ce cas, des bains prolongés, des douches fortes et la boisson abondante. Si, au contraire, elle est la conséquence de chute ou choc, sans prédisposition lymphatique, les douches seules et le massage suffiront presque toujours pour amener une amélioration marquée.

QUATRIÈME PARTIE

CURE COMPLÉMENTAIRE A BOURBONNE
ÉLECTRICITÉ — MASSAGE
SOURCES MAYNARD & DE LARIVIÈRE

CHAPITRE PREMIER

ÉLECTRICITÉ

En 1770, Diderot (voyage à Bourbonne), écrivait : « Le doyen d'Is, village peu distant de Bourbonne, y avait projeté un établissement utile ; mais le succès de ses vues exigeait plus de fortune et plus de sens que le bon doyen n'en avait. Il avait acquis une maison. Il voulait qu'il y eût dans cette maison une chambre de bains où l'on réunirait l'effet de l'électricité à celui des eaux. »

Si les efforts du curé d'Is ne furent pas couronnés de succès, il n'en a pas été de même pour ses successeurs ; M. Villaret paraît être le premier médecin qui ait songé à l'emploi du galvanisme comme médication adjuvante du traitement minéral à Bourbonne. M. Cabrol a largement vulgarisé cette méthode introduite à l'hôpital militaire en 1854. J'ai, après ces deux initiateurs, cherché à faire ressortir les avantages de la faradisation dans nombre de maladies tributaires de nos eaux ; je ne revendique pour mon compte qu'une spécialisation plus définie, pouvant se résumer en cette proposition : régulariser, à l'aide de courants gradués, les fonctions du système nerveux, lorsqu'elles sont affaiblies ou troublées.

Depuis 1863 jusqu'à ce jour, j'ai électrisé plus de deux mille malades, tant à l'hôpital militaire que dans ma pratique civile. Dans les précédentes éditions de cet ouvrage, j'ai cherché à dégager le rôle exact des eaux et de l'électricité employées concurremment. Je n'y veux point revenir. Je dois cependant répéter que le traitement électrique doit à Bourbonne passer après le traitement thermominéral, il n'en est que le complément et le serviteur, il aide et renforce son action. Je n'ai jamais eu d'autre prétention pour lui.

L'électricité agit presque toujours instantanément; fugace d'abord, l'amélioration est quelquefois persistante d'emblée ; en tous cas elle le
devient facilement à la longue. Ce mieux, rapidement déterminé chez la très-grande majorité de
nos malades, consiste en une souplesse, une légè-
reté singulière des membres paralysés et une
très-grande résistance à la fatigue. Tel malade
qui marche péniblement à l'ordinaire, après la
séance électrique, se trouve capable de faire sans
grande difficulté un ou plusieurs kilomètres.

Si, après l'application de l'électricité, il se produit un engourdissement pénible du membre faradisé, c'est que la dose convenable a été dépassée;
mais il ne faut pas confondre cet engourdissement
désagréable avec une sorte de plénitude, de surabondance de vie qui se manifeste souvent dans les
mêmes circonstances; la première sensation n'est
pas très-fâcheuse, mais la seconde est extrêmement favorable. Après avoir constaté l'un et l'autre effet, on peut préserver les malades du premier et faire naître le second. Voici à ce sujet
quelques considérations pratiques de la plus haute
importance.

MODE OPÉRATOIRE.

Chaque madade soumis à la faradisation jouit
d'une susceptibilité électrique qui lui est propre.
Ce ne sont pas toujours les plus paralysés qui
peuvent supporter le courant le plus énergique. Il
faut tenir compte de l'inquiétude que le traitement
cause à quelques-uns, timorés à l'excès et prêts à
entrer en convulsion quand il commence au minimum. Il faut tâter le malade, il faut débuter avec
prudence par un courant presque insensible qu'on
élèvera lentement en observant et interrogeant le
patient ; le distraire s'il est possible de l'attention
qu'il porte à la machine, mais ne le surprendre
jamais.

Je dirai au débutant électricien : Quand le malade dit assez, arrêtez ; mais soyez bien convaincu
que le lendemain vous pourrez augmenter l'intensité et la durée de l'application ; l'habitude commence, l'effroi cesse, la confiance naît et vous
pourrez tirer chaque jour davantage la tige graduatrice jusqu'à ce que l'amélioration se prononce.
Quand vous serez obligé de diminuer la dose qui
a été supportée la veille, c'est que la sensibilité
revient, le mouvement n'est pas loin. Et comme

vous avez commencé, terminez, doucement, insensiblement. Dans aucun cas n'exigez que votre
malade supporte un courant trop violemment perçu
et vous n'aurez jamais d'engourdissement prolongé. Ce que je dis pour l'intensité du courant, je
le dis également pour sa durée.

Un grand nombre de médecins n'éprouvent que
des déceptions dans l'usage de la faradisation.
J'en suis peu surpris ; plus que tout autre agent
thérapeutique, l'électricité demande à être appliquée avec méthode et discrétion. Le résultat
dépend presque toujours du savoir-faire de l'opé-
rateur. Dans une séance de huit ou dix minutes,
la dose d'électricité variera depuis le commencement jusqu'à la fin. Au début et en terminant,
elle sera minimum, au milieu maximum. Mais
encore suivant la région à laquelle vous aurez
affaire, elle devra subir des variations. A la partie
interne des membres, par exemple, vous n'em-
ploierez jamais un courant aussi énergique qu'à
la partie externe, parce que vous y trouverez des
nerfs plus nombreux et des muscles plus excitables.

A propos du mode opératoire, une difficulté assez
grande surgit tout d'abord dans le traitement électrique ; elle a été soulevée plusieurs fois devant

moi par les médecins militaires et civils qui m'ont vu opérer. Pourquoi, m'ont-ils dit, appliquez-vous les éponges à ce malade et le bain faradisé à cet autre? Pourquoi? Parce que j'ai essayé sur ce même malade les deux modes et que l'un a paru agir plus efficacement que l'autre. En général, avant de vous prononcer définitivement pour une manière, essayez les deux. Si vous avez une paralysie localisée dans un seul muscle, employez d'abord l'éponge ; pour toutes les névralgies, l'éponge encore et le pinceau métallique, et quoiqu'en dise M. Duchenne, ne ménagez pas votre malade. Dans une hémiplégie complète, essayez le bain pour commencer, de même pour les paraplégies. Quant à des règles absolues, il est impossible d'en établir, car, dans des conditions qui paraissent semblables, le bain réussit mieux que l'éponge et réciproquement.

INDICATIONS ET CONTRE-INDICATIONS
DU TRAITEMENT ÉLECTRIQUE A BOURBONNE.

L'électricité est indiquée dans bon nombre des maladies envoyées à Bourbonne ; il est clair cependant qu'elle est souvent négligeable. Un enfant lymphatique, scrofuleux nous est adressé ; les eaux agiront efficacement chez lui, car elles sont toniques, stimulantes ; sous leur influence, les organes prendront un surcroît d'activité, et tous les phénomènes que j'ai décrits ailleurs, se succèderont dans un ordre prévu ; la faradisation n'a rien à faire ici, mais combien ailleurs !

L'électricité est régulatrice de la fonction nerveuse comme le fer est le régulateur de la fonction menstruelle. Qu'il y ait excès ou défaut, névralgie ou paralysie, l'électricité rétablit l'équilibre détruit, elle excite les centres nerveux par l'intermédiaire des nerfs sensitifs, moteurs ou mixtes, et les dispose à distribuer de nouveau la dose de fluide nécessaire pour le fonctionnement régulier des organes.

Paralysies et *névralgies*, telles sont les deux grandes indications du galvanisme.

Il est bien entendu que je comprends sous le nom de paralysie la gêne, la difficulté des mouvements qui peut se produire sous mille influences et particulièrement le rhumatisme. Je donne au mot paralysie toute l'extension dont il est capable.

Les névralgies se trouvent également bien de l'usage de l'électricité. Le phénomène douleur, non inflammatoire, est entre tous utilement combattu par la faradisation. Les névralgies qui occupent une certaine surface sont plus faciles à guérir que celles qui siègent en un point, les superficielles que les profondes.

L'œdème des parties fait prévoir absolument un résultat nul, les muscles et les nerfs sont isolés du courant par les liquides extravasés. L'atrophie est un signe fâcheux, à moins qu'elle ne diminue au début du traitement.

Je ne parlerai pas des contre-indications telles que les maladies du cœur ou du poumon qui contre-indiquent formellement l'usage des eaux ; de même, l'état aigu ou la persistance de la lésion organique, cause déterminante des accidents contre lesquels nous sommes appelés à agir. Il faut des précautions infinies si on se résout à appliquer la faradisation dans ces cas particuliers. Quant à moi, je ferais peut-être baigner et doucher légèrement un hémiplégique de quinze jours, mais certes je ne l'électriserais pas.

EFFETS PRODUITS PAR LA FARADISATION.

L'action de l'électricité doit être connue à l'avance. On peut presque toujours préjuger ses effets. Les bases qui feront poser le pronostic sont les suivantes : La faradisation agira d'autant mieux que l'affection à laquelle elle s'adresse ne sera pas trop ancienne, lorsque la sensibilité et la contractilité électriques seront conservées, quand il n'y aura ni atrophie ni œdème, quand le malade sera jeune, vigoureux, et que l'excitation pourra être impunément portée à un haut degré.

Je ne suis pas comme Duchenne, partisan de ces minces courants qui produisent une excitation médiocre et des contractions nulles, partisan de Becquerel, comme lui, je recommande des courants vigoureux.

L'excitation pourra être énergique chez les malades peu timorés qui n'ont pas de maladies graves du cœur, du cerveau ou des organes respiratoires, ni de névroses.

L'amélioration est ordinairement annoncée par le *réveil des douleurs* dans les parties malades. Ce signe est très favorable et manque rarement, il précède le retour partiel ou complet de la sensibilité et du mouvement.

Après dix ou quinze séances, s'il n'y a pas d'amélioration appréciable, on pourra généralement cesser l'application de l'électricité; elle est impuissante et le sera toujours, sauf de rares exceptions.

J'avance ce fait en opposition avec presque tous les médecins électriciens qui prétendent que souvent ce n'est qu'après un très-grand nombre de séances que l'amélioration se manifeste. Dans le cas où la sensibilité et mieux encore la contractilité électrique feraient des progrès, on devrait, bien entendu, persévérer.

Il n'est pas rare de voir, après quinze ou vingt jours d'un traitement électrique soutenu et bien dirigé, une amélioration marquée et continue s'arrêter net. Il semble que la faradisation a donné tout ce qu'elle pouvait et se déclare incapable de lutter davantage. On doit suspendre les séances dans ce cas particulier et ne les reprendre qu'après quinze jours ou trois semaines de repos. On agira exactement comme pour les médications qui amènent une sorte d'habitude ou de saturation de l'organisme.

Les premières séances, ai-je dit, sont en quelque sorte éliminatrices, si elles ne produisent rien, mauvais signe, mieux vaut une aggravation des douleurs qu'aucun résultat.

L'électricité développe assez souvent une céphalalgie très-marquée. Il est d'observation que cet accident peut se produire dans des conditions différentes. Elle est par exemple au moins aussi fréquente chez les rhumatisants que chez les hémiplégiques.

La céphalalgie tient à une idiosyncrasie spéciale au malade ainsi que l'épistaxis du reste beaucoup plus rare. Ces deux complications ne contre-indiquent pas absolument l'usage de l'électricité ; pas plus que l'excitation cérébrale (agitation, insomnie, etc.), qui se développe quelquefois aussi sous son influence.

DE LA SENSIBILITÉ
ET DE LA CONTRACTILITÉ ÉLECTRIQUES.

L'état de la contractilité électrique est indispensable à connaître avant de poser le pronostic.

Le médecin électricien doit chercher quand même à la produire. Elle est, dans les paralysies anciennes, généralement diminuée, mais il est rare qu'un courant énergique ne puisse la déterminer. L'intensité du courant doit être basée sur la plus ou moins grande difficulté qu'éprouve le médecin à triompher de l'inertie des muscles ; c'est une sorte de gymnastique électro-musculaire qu'il faut produire.

Au commencement d'une séance, la sensibilité est quelquefois obtuse, la contractilité molle ; les pre-

miers coups de pinceaux ne produisent le plus
souvent que de faibles contractions, mais cinq
minutes après, ces mêmes fibres si paresseuses
d'abord jouissent de tout le ressort dont elles sont
capables et donnent sans effort les mouvements les
plus étendus.

La moitié des malades qui, à l'arrivée, supportent
un courant maximum, c'est-à-dire la tige graduatrice tirée de huit centimètres, n'en peuvent plus supporter que quatre après deux séances ; plus tard
ces mêmes malades subissent désagréablement le
minimum même de l'instrument de Loret. Est-il
nécessaire de dire que la contractilité progresse
en raison directe de cette sensibilité croissante, et
quand je dis que la contractilité fait des progrès,
j'implique nécessairement cette idée que l'amélioration en est la conséquence forcée.

« La contractilité électro-musculaire se comporte dans la paralysie cérébrale comme dans l'état
de santé, » a dit M. Duchenne. Vrai, pour les paralysies cérébrales récentes, cet axiome est faux
pour les paralysies cérébrales anciennes. Dans ces
dernières, il est fréquent, une fois sur quatre, de
voir la contractilité diminuée ou au moins pares-
seuse. Immédiatement après une hémorrhagie cérébrale, la contractilité et la sensibilité électriques

sont conservées intactes dans les parties atteintes,
ce n'est pas douteux, mais lorsque les mouvements
tardent à reparaître, le défaut d'exercice entraîne
une diminution de la sensibilité puis de la contractilité ; bientôt le bras s'amaigrit, quelquefois même
la jambe ; mais au membre supérieur, à la main
principalement, ces phénomènes sont bien mieux
accusés. La faradisation, en faisant fonctionner
chaque muscle, on emploie un courant énergique,
s'il est nécessaire, arrête et fait rétrograder rapidement cette sorte d'atrophie ; peu à peu reviennent
dans toute leur intégrité la contractilité et la sensibilité électriques.

Il n'y a pas ici de difficultés sérieuses à vaincre,
comme quand l'atrophie a été précédée de lésion
des cordons nerveux, section ou contusion, ou de
traumatisme du tissu musculaire.

Règle générale, dans l'hémiplégie ancienne, la
dose d'électricité qui convient à l'épaule n'est pas
suffisante au bras et moins encore à l'avant-bras,
au poignet ou à la main. En effet, si la contractilité
est parfaite à l'épaule et au bras, elle est souvent
diminuée à l'avant-bras et faible à la main. Il faut
augmenter l'intensité du courant au fur et à mesure que l'on descend. Tel muscle demande que la
tige graduatrice soit tirée de un centimètre, tel au-

17.

tre, plus malade, exige une force trois ou quatre fois plus grande ; c'est la contractilité qui dirigera toujours l'intensité de la faradisation. Ce que je cherche, c'est à produire la contraction des muscles engourdis, atrophiés ou non, un courant suffisamment énergique finira presque toujours par triompher de leur inertie.

Quand la sensibilité et la contractilité électriques renaissent, on peut préjuger un mieux prochain et marqué ; quand elles sont conservées intactes dans une paralysie quelconque et déjà ancienne, je suis tellement habitué à voir l'amélioration suivre les premières séances électriques, que je suis tenté de croire à la simulation quand ce fait n'arrive pas, c'est-à-dire peut-être une fois sur dix. Je me reproche presque toujours cette idée, et cependant elle a sa raison d'être, car l'intérêt de nombre de soldats, peu enthousiastes de leur métier, est de ne pas guérir, afin de se faire réformer.

Toutes les maladies prolongées des centres, et surtout des cordons nerveux, peuvent produire l'amaigrissement ou l'atrophie des fibres musculaires qui, de striées et rouges, deviennent lisses et pâles, et ne peuvent ni s'allonger ni se raccourcir. Cet état s'acquiert par le repos absolu des muscles, et entraîne toujours la diminution de la contractilité électrique ; il comporte une application énergique de la faradisation, chaque faisceau doit subir directement l'influence de l'électricité jusqu'à production d'effet bien accusé.

MARCHE DE L'AMÉLIORATION.

L'amélioration produite par l'électricité se manifeste constamment, ou à peu près, dans l'ordre que la nature suit elle-même quand elle agit avec ses propres ressources. Electrisez par exemple un hémiplégique, le mieux se produira presque toujours d'abord au membre inférieur, ensuite au membre supérieur, et ici encore dans l'ordre habituel ; les mouvements de l'épaule précéderont ceux du bras, le bras lui-même exécutera plus tôt de larges mouvements que l'avant-bras, l'avant-bras que la main.

Comme toutes les médications connues, l'électricité détermine quelquefois l'amélioration, mais surtout elle active et précipite sa marche.

Ce que je viens de dire existe quand la faradisation s'adresse, comme les eaux, également aux membres supérieur et inférieur. Mais si on prend en considération le désir des malades qui, voyant

leur bras plus embarrassé, veulent qu'il soit principalement électrisé, on peut déplacer l'ordre de
l'amélioration, et mettre assez rapidement les deux
membres supérieur et inférieur dans le même état,
avec amélioration surtout marquée au bras et à
l'avant-bras, je n'ose dire à la main, car là est la
plus grande difficulté à vaincre.

Ce résultat produit par l'électricité ne prouve-t-il
pas jusqu'à l'évidence son efficacité, car les eaux
seules amélioreraient également les membres supérieur et inférieur : de sorte qu'au départ la jambe,
comme à l'arrivée, fonctionnerait mieux que le
bras.

INDICATIONS SPÉCIALES DE L'ÉLECTRICITÉ.

L'électrisation des malades atteints de paralysie,
suite de fièvre grave, ne présentant rien de particulier, j'arrive de suite à l'*hémiplégie*.

Le traitement de l'hémiplégie militaire ne doit
pas ressembler à celui que l'on emploie généralement dans la pratique ou les hôpitaux civils ; il
comporte moins de précautions. En effet, dans ce
dernier cas, on a presque toujours affaire au tempérament pléthorique avec *molimen hémorrhagi-*

cum précurseur; tandis que l'hémiplégie survient le plus souvent chez les militaires, sans que le tempérament ou la constitution paraissent influer sur le début qui est franchement accidentel.

Après de longues et rudes fatigues, un soldat s'endort où il se trouve et se réveille hémiplégique. Dans une marche forcée, sous un soleil de feu, il tombe hémiplégique. Voici encore une excellente manière de produire l'hémorrhagie cérébrale : Un poste se trouve dans un corps de garde avec le fourneau que l'on connaît; les hommes sont chauffés au rouge, un appel est donné, tout le monde se précipite dans une atmosphère à dix degrés au-dessous de zéro. Effet produit immédiat, et Bourbonne six mois après.

A l'hôpital militaire, en 1867, j'ai électrisé vingt-quatre hémiplégiques et j'ai obtenu vingt et une améliorations, dont plusieurs considérables, équivalant presque à la guérison. Ce résultat prodigieux a de quoi étonner les médecins électriciens de tous pays, il est possible à l'hôpital, où ne se trouvent que des hommes jeunes et vigoureux, pouvant supporter un courant intense; de plus, comme je viens de le dire, l'hémorrhagie cérébrale est presque toujours accidentelle, et n'est pas préparée de longue main par une constitution

forte et un tempérament sanguin. En ville, je suis
loin d'obtenir de semblables résultats. Quand j'a-
méliore un malade sur deux, je suis bien heureux.
Les médecins de Bourbonne commencent à se fa-
miliariser avec l'hémiplégie. Il y a vingt ans,
c'était avec déplaisir qu'ils recevaient les malades
de cette catégorie, sans grand espoir de les
améliorer, mais avec une grande crainte d'une rechute que l'excitation produite par le bain et la
douche pouvait amener d'après eux ; aussi admi-
nistraient-ils l'un et l'autre avec une prudence
infinie.

Les accidents ne survenant pas, on a augmenté
progressivement la durée du bain et de la douche,
avec une certaine défiance encore cependant. Il y a
vingt-cinq ans, quand je commençai mes recherches
sur l'électricité, plusieurs de mes confrères me
prévinrent gracieusement que je ne tarderais pas
à produire des rechutes, et que, dans un bref délai
j'aurais tué pas mal des imprudents qui se con-
fiaient à mes soins. Je persistai en tremblant, mais
je fis pour l'électricité ce qu'on avait déjà fait pour
les eaux ; petit à petit je pris courage, je tirai ma
tige graduatrice et des résultats excellents récom-
pensèrent ma témérité.

J'ai déjà électrisé plus de cinq cents hémiplégi-

ques ; jamais je n'ai vu d'accident produit ni pendant ni après la séance; jamais, parmi mes malades, ne s'est présenté une rechute à Bourbonne.
Est-ce à dire pour cela qu'on doit se départir de
toute prudence ? Oh ! non. Il existe des règles à
suivre, et c'est en ne les oubliant pas, que l'on ne
cause jamais d'accident. J'ai déjà invoqué les principales, j'ajouterai ceci : la faradisation, lorsqu'elle
s'adresse à des vieillards apoplectiques, sera conduite doucement. La séance sera courte, on débutera par les extrémités et les muscles; les nerfs
viendront après. Il est convenable de ne jamais
écarter beaucoup les électrodes.

Les personnes pusillanimes ne seront jamais
électrisées qu'avec grande précaution, surtout au
voisinage du plexus cervical. La contracture des
muscles n'est pas une contre-indication absolue de
la faradisation, elle ne laisse cependant que peu
d'espoir d'amélioration.

Tout' homme jeune, de constitution moyenne,
de tempérament non exagéré, dont l'hémiplégie
date de six mois au moins, de deux ans au plus,
d'origine accidentelle plutôt que constitutionnelle,
à marche régulière, réalisera très-probablement
à Bourbonne une amélioration satisfaisante.

Si l'hémiplégie est complète, employez d'abord

le bain. La jambe et le bras tremperont simultanément dans les cuves et y trouveront un courant
restreint que vous ouvrirez, quand les membres
seront en place, que vous élèverez progressivement en tenant compte de la susceptibilité du malade. Si après trois ou quatre séances de dix minutes, vous n'obtenez aucun succès, employez le
pinceau métallique et l'éponge mouillée.

Les *rhumatismes*, ou plutôt les accidents rhumatismaux envoyés à l'hôpital militaire, sont dus
presque toujours aux mêmes causes. Un régiment
d'Afrique est obligé de bivaquer en pleins champs,
il s'endort sur la terre humide et s'éveille le lendemain avec un certain nombre de ses hommes
rhumatisés, qui avec un lumbago, qui avec l'é-
paule endolorie, etc. Un régiment est envoyé de
Toulon, au mois de novembre, en garnison à Gi-
vet, par exemple, demandez à son médecin major
où en seront, après un mois de résidence, les articulations des prédisposés au rhumatisme.

Non seulement le rhumatisme est fréquent dans
l'armée, mais encore il y est grave. A l'établissement civil, je n'ai jamais vu d'atrophies, de paralysies, de contractures et autres accidents compa-
rables à ce que l'on voit chaque jour à l'hôpital.

Pourquoi? Est-ce parce que les soins médicaux ne sont pas suffisants au début? Non, car les militaires sont partout mieux soignés que ne le sont en général les habitants des villes et surtout des campagnes ; leurs médecins sont exercés et connaissent admirablement les affections que contractent journellement les soldats, et le rhumatisme est de celles-là. Je pense que si les accidents qui m'occupent sont aussi graves chez les militaires, c'est que la cause agit plus longtemps et plus vigoureusement, surtout en campagne, quand, malades ou non, il faut marcher toujours et s'exposer encore au froid et à l'humidité qui ont déjà été si funestes.

Le plus grand nombre de nos rhumatisés se plaignent de faiblesse dans un ou plusieurs muscles, les trois quarts au moins accusent en même temps des douleurs intermittentes ou durables dans les mêmes régions, un huitième présente une certaine atrophie des muscles atteints.

La faradisation agit plus rapidement contre les douleurs que contre la paralysie, cinq ou six séances suffisent pour enlever les plus renforcées, il en faut dix ou quinze pour rendre aux muscles l'élasticité et la souplesse qui leur manquent. L'atrophie comporte une très grande patience chez le

médecin et le malade ; avec de la persistance, on
en vient quelquefois à bout.

Dans les *paraplégies*, les considérations qui ont
trait à l'âge et à la constitution du malade sont peu
importantes, tout le pronostic réside dans l'ancienneté et surtout les causes de la maladie.

Le traitement électrique ne pouvant jamais ici
provoquer d'accidents sérieux, on peut donner un
courant énergique, mais toujours gradué. Je commence par le bain, et simultanément j'électrise directement la région lombo-dorsale, moyen excellent et trop peu utilisé.

Si au bout de quelques séances il n'y a pas de
succès appréciable, j'électrise directement les
muscles et les nerfs des membres inférieurs avec
l'éponge mouillée. Là où un de ces deux moyens
échoue, l'autre réussit souvent ; il faut après les
avoir essayés tous deux, se prononcer seulement
pour celui qui donne les meilleurs résultats.

Quelque moyen que l'on emploie, bain ou éponge,
dans la paraplégie, comme dans toutes les paralysies, c'est toujours la contraction qu'on doit
avoir en vue et chercher, car une contraction arti-
ficielle quand elle se produit facilement annonce
le prochain retour des mouvements physiologiques.

L'éponge produit une contraction plus profonde et mieux accusée, le bain, une contraction plus superficielle et plus étendue en surface.

Quand il est impossible de triompher de l'engourdissement des extrémités et de l'analgésie qui accompagne cette pénible sensation, le pronostic est fâcheux. Au bout de quatre ou cinq séances, le malade qui vous avait dit à la première qu'il marchait constamment sur du coton, doit sentir le parquet ; si à la huitième, il n'y a rien encore, mauvais signe.

En général, il est inutile d'électriser la vessie et l'intestin ; l'amélioration des organes internes marche plus rapidement que celle des muscles des membres, le contraire n'est pas rare cependant. Si la vessie est par trop en retard, j'introduis une sonde pleine, métallique, recouverte de gutta-percha dans toute son étendue, excepté à ses deux extrémités. Je fais communiquer le bout externe avec le pôle positif d'une machine affaiblie, et je promène le pôle négatif armé d'une éponge mouillée sur le bas ventre et le périnée. En opérant de la sorte, j'ai produit quelquefois une amélioration instantanée et durable.

Un courant directement appliqué sur le rectum paresseux ne pourrait produire qu'un bon résultat.

L'ataxie comporte un traitement exactement semblable à celui des paraplégies ; quant aux applications qui conviennent aux paralysies localisées, elles ne présentent rien de particulier.

La manière d'employer la faradisation dans les *névralgies* a été vivement discutée. Magendie et grand nombre de médecins expérimentés ont employé l'électrisation directe, c'est-à-dire le courant électrique immédiatement dirigé sur les nerfs malades. Magendie a même préconisé avec raison l'électro-puncture. D'autre part, Duchenne de Boulogne recommande d'agir *loco dolenti*, c'est vrai, mais avant d'opérer, il dessèche préalablement la peau avec une poudre absorbante afin que ce soit sur elle seule que porte le courant, car, dit-il, si l'excitation électrique pénètre profondément, la névralgie peut s'aggraver au lieu de se calmer.

Becquerel a employé sur une grande échelle la méthode de Duchenne, à peine s'il obtint quelques améliorations, mais de guérisons, aucune. Lui qui avait vu les beaux résultats produits par la méthode de Magendie, il revint bien vite aux procédés du maître et fit usage de courants directs très forts et des éponges humides, placées, une à l'extrémité du nerf la plus rapprochée du centre et l'autre à l'extrémité périphérique. En pratiquant de la sorte Becquerel put constater de remarquables succès.

Mon observation personnelle m'a convaincu pleinement de ceci : c'est que les faits observés par Becquerel sont exacts ; aussi je n'emploie que la méthode d'électrisation préconisée par Magendie, sauf de rares exceptions. En agissant ainsi j'opère une véritable action substitutive, qui n'est pas sans avantage, puisqu'en 1868, par exemple, j'ai obtenu onze améliorations sur treize cas.

Quinze séances doivent suffire pour juger l'opportunité de la faradisation dans les diverses maladies soumises à ce genre de traitement; pour les névralgies ce chiffre demande à être réduit à cinq ou six.

L'électrisation des nerfs névralgiés est toujours désagréable surtout quand on élève l'intensité du courant, ce qui est indispensable pour obtenir un bon résultat. Il faut laisser crier le malade et tirer quand même la tige graduatrice, tout est là. A une douleur sourde et permanente, vous en substituez une vive, mais courte, que vous pouvez toujours arrêter à volonté.

Voici un exemple presque merveilleux de la rapidité d'action de l'électricité. En 1875, M. Cons., de l'Aube, vient me prier de le débarrasser d'une sciatique ancienne et pour laquelle il avait pris déjà un certain nombre de bains et douches. En une seule séance cet homme fut complètement et définitivement guéri de douleurs qui ne l'avaient jamais quitté depuis un an. En 1876, Cons. me fit dire par un de ses compatriotes que la guérison se maintenait. Je n'avais pas attendu cette observation pour dire que le triomphe de l'électricité, son action favorable et certaine se révélait surtout dans les névralgies.

Massage.

Sans être en honneur autant qu'à Aix, le massage est fréquemment utilisé à Bourbonne; sous la douche même par le doucheur, quand des soins et des précautions sérieuses ne sont pas nécessaires, autrement les manœuvres sont pratiquées au lit du patient, lorsqu'il rentre du bain, par le médecin ou sous sa direction immédiate. Le massage est une arme à deux tranchants; exécuté par des mains inexpérimentées il peut produire les plus graves désordres.

Il y a deux sortes de manières de pratiquer le massage : la première consiste en des *frictions lé-*

gères, puis plus fortes, opérées avec la face palmaire des doigts et de la main, préalablement ou non enduite d'une pommade ou d'une teinture médicamenteuse. Ces frictions se font sur les membres ou les articulations engorgés ou paralysés ; elles favorisent l'absorption, détruisent la stagnation veineuse, activent les fonctions de la peau et des muscles.

La deuxième manière est dite *pétrissage ;* massage véritable, il se fait avec l'extrémité des doigts ou à pleines mains ; son action est dirigée principalement contre l'atrophie et les lésions profondes ou anciennes.

Ces deux sortes de massage peuvent se succéder dans une même séance, mais la douche opérant à la façon de la première manière, la seconde est le plus souvent employée ici.

CHAPITRE II

SOURCE MAYNARD

A un kilomètre N. E. de Bourbonne est exploitée, par son propriétaire, une source sulfatée analogue à celles de Contrexéville et Vittel.

La source Maynard « surgit au niveau de la prairie dans un sol tourbeux recouvrant les argiles marneuses bariolées, situées entre le grès bigarré et le muschelkalk. Elle se trouve ainsi au pied d'un coteau constitué par la formation des marnes irisées qui dans cette localité se trouve abaissée par deux failles au niveau des argiles précitées. » Drouot.

Le tableau comparatif suivant d'analyses faites par M. Ossian Henri expliquera suffisamment les effets obtenus avec l'eau de la fontaine Maynard.

	SOURCE MAYNARD Bourbonne.	GRANDE SOURCE Vittel.	SOURCE DU PAVILLON Contrexéville.
Acide carbonique libre...	0.310	1/10	0.019
Oxygène...............	»	»	indéterminé.
Bicarbonate de chaux....	0.680	0.185	0.675
Bicarbonate de magnésie	0.259	0.079	0.220
Bicarbonate de soude....	»		0.197
Bicarbonate de strontiane	»	»	traces.
Sulfate de chaux........	0.925	0.440	1.130
Sulfate de magnésie.....	0.300	0.432	0.190
Sulfate de soude........	0.050	0.326	0.130
Sulfate de strontiane	traces.	traces.	»
Sulfate de potasse.......	»	»	traces.
Chlorure de sodium et de calcium	0.300	»	»
Chlorure de sodium (peu).	»	0.220	»
Chlorure de magnésium..	»		0.040
Chlorure de sodium et de potassium	»	»	0.140
Azotates, traces sensibles, évalués à.............	0.001	»	»
Principe arsénical.......	indic. légers	sensible.	indices.
Iodure alcalin...........	id.	indices	Brom. ind.
Silice alumine	0.100	0.047	0.120
Phosphate terreux.......			»
Sel de potasse et d'am-moniaque.............	»		»
Matière organisée non évaluée..............	ulmine.		»
Oxyde de fer............	0.001	indices	»
Bicarbonate de fer et de manganèse	»	»	0.009
Phosphate de chaux et d'alumine, matière or-ganique et perte......	»	»	0.070
	2.616	1.739	2.941

Le rhumatisme et surtout le rhumatisme goutteux retentit souvent sur les organes de la digestion, les reins et la vessie. Quand l'estomac et
l'intestin s'embarrasseront, quand l'urine présen-
tera des sédiments orangés et qu'il se manifestera
de temps à autre des douleurs lombaires, il ne faut
pas hésiter à aller boire dans l'après-midi un à
deux verres d'eau à la fontaine Maynard.

Si le traitement doit être sérieux, si un véritable
lessivage des reins est nécessaire, l'indication est de
boire le plus d'eau possible dans le moins de temps
possible, afin de balayer les reins et la vessie des
sables et graviers qui les obstruent. Une douche
légère le long de la colonne vertébrale et le périnée ne peut que bien préparer l'action de l'eau sulfatée, action qui n'est nullement chimique, mais
mécanique seulement ; plus vite absorbée que l'eau
commune, on peut en boire dans le même temps
davantage, voilà son principal mérite.

La source Elisabeth à quelques mètres de la
source Maynard, renferme d'après l'analyse de
M. Karcher, pharmacien de l'hôpital militaire, 0,022
de carbonate ferreux.

Il est utile souvent d'ajouter une dose plus ou
moins forte de sulfate de magnésie dans l'eau prête
à être bue. J'engage ordinairement mes malades à

verser dans leur verre un paquet de deux à quatre grammes de sel d'Epsom. Si je conseille cette pratique, fort usitée à Contrexéville même, c'est parce que les eaux sulfatées agissent souvent autant par leur propriété purgative que par leur vertu diurétique ; cette première laissant à désirer ici, je la produis artificiellement.

Il est convenable de revenir lentement de la source, la marche trop rapide amènerait la transpiration et l'eau ingérée doit passer ailleurs que par les glandes sudoripares.

Source de Larivière.

Larivière est un village du canton de Bourbonne, à neuf kilomètres environ de cette ville.

Depuis longues années, les habitants de Larivière et des communes voisines font usage d'une eau ferrugineuse qui émerge au milieu de la vallée, tout près de la source de l'Apance.

Les jeunes filles qui ne se forment pas assez vite, les hommes qui souffrent de la vessie y vont boire et souvent avec succès.

M. Bastien a essayé, il y a quarante ans, d'exploiter l'eau minérale de Larivière, mais il y a vite renoncé. Les principes minéralisateurs constatés

par ce chimiste sont des carbonates de fer, de
chaux et de magnésie, des sulfates de soude, de
chaux et de magnésie, en tout 3 grammes environ.

Cette eau, grâce à sa proximité de Bourbonne, sera
peut-être un jour mieux utilisée qu'elle ne l'est aujourd'hui. Plusieurs anciens médecins citent des
améliorations remarquables produites par son
usage.

M. Therrin entre autres l'a conseillée avec avantage à Antoine Dubois ; cet illustre chirurgien avait
peu de temps avant son voyage à Bourbonne subi
une opération de lithotritie.

Voici l'analyse toute récente faite au laboratoire
des mines. Un litre d'eau de Larivière renferme :

Silice	0ᵍ 0185
Bi-carbonate de chaux...........	0 3974
— de magnésie........	0 0114
— de protoxide de fer.	0 0040
Chlorure de potassium............	traces
— de sodium..............	0ᵍ 0122
Sulfate de soude................	0 0671
— de chaux.................	1 6028
— de magnésie.............	0 4755
Matières organiques............	0 0020
TOTAL........	2ᵍ 5909

Une Société en formation se propose de tirer le
meilleur parti de cette eau, qui en somme est de
même nature que celle de Contrexéville.

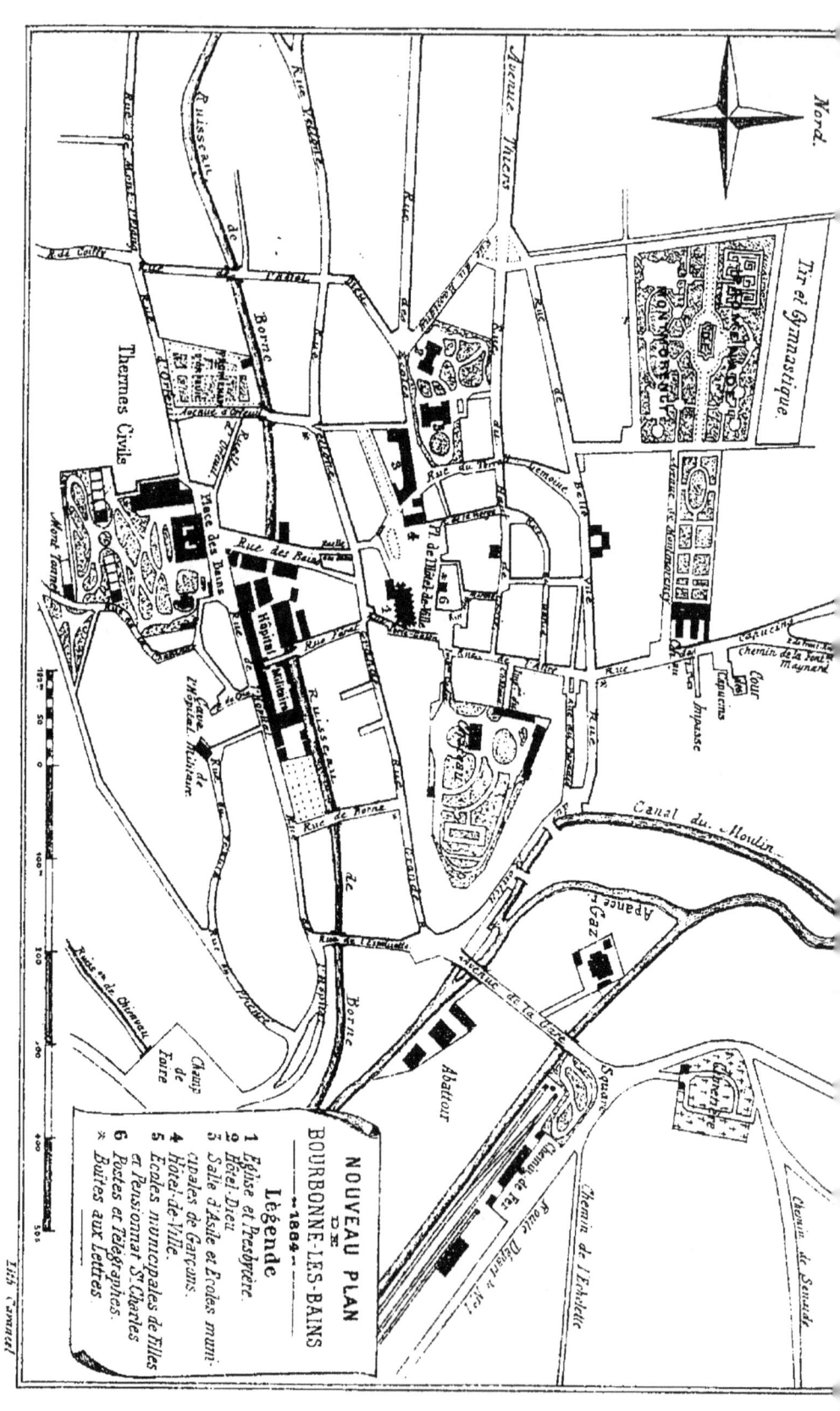

NOUVEAU PLAN
DE
BOURBONNE-LES-BAINS
— 1884 —

Légende

1 Église et Presbytère.
2 Hôtel-Dieu.
3 Salle d'Asile et Écoles municipales de Garçons.
4 Hôtel-de-Ville.
5 Écoles municipales de Filles et Pensionnat St-Charles
6 Postes et Télégraphes.
* Boîtes aux Lettres.

Nord.

CINQUIÈME PARTIE

PROMENADES ET EXCURSIONS
RENSEIGNEMENTS

— ✕ —

PROMENADES ET EXCURSIONS

La ville de Bourbonne possède plusieurs promenades très agréables. La plus fréquentée est sans contredit le jardin des bains, petit parc supérieurement dessiné et parfaitement entretenu. Vient ensuite la promenade de Montmorency, ancienne propriété de la famille de ce nom, remarquable par son étendue et ses arbres séculaires qui forment au-dessus des allées une voûte ogivale de toute beauté, elle est malheureusement un peu humide et trop éloignée du quartier fréquenté par les baigneurs.

La promenade d'Orfeuil fut plantée en 1770 par un intendant de Champagne qui lui laissa son

18.

nom ; on y trouve installés des tirs, des jeux de toute sorte, les histrions de passage y font le soir un bruit assourdissant.

Outre les promenades que je viens de citer, les baigneurs trouveront aux abords de la ville de charmantes routes et des chemins frais et ombragés qui les conduiront à de jolis villages ou à des lieux de rendez-vous célèbres par les parties qui s'y sont faites et s'y font chaque jour. Je citerai entre autres la fontaine Beauregard dans le bois des Epinets ; la place Gauthier dans le bois du Danonce ; le bois de la Bannie, très rapproché de la ville et disposé en promenade.

Les établissements publics qui présentent quelque intérêt sont : l'hôpital militaire, l'église, le château, la salle d'asile, les écoles de garçons et de filles, l'hôpital civil.

L'église dédiée à Notre-Dame en son assomption est classée parmi les monuments historiques et date du commencement du XIᵉ siècle, elle appartient au style de transition et vient d'être l'objet d'une restauration complète et bien entendue.

Les excursions qui me semblent offrir le plus d'attrait sont les suivantes :

Morimond, 16 kilomètres.

Cette excursion peut se faire facilement en une demi-journée. Elle est intéressante non-seulement à cause de l'impression que le souvenir de la splendide abbaye de Saint-Bernard laisse dans l'esprit, mais à cause du voyage lui-même, les coteaux chargés de vignes et de forêts, les vallées et les villages que traverse la route présentent à chaque pas de curieuses perspectives.

Le premier village que l'on rencontre en quittant Bourbonne est Serqueux, dont le nom latin était Sarcophagi. On fabriquait avec les pierres de ce pays des cercueils ou sarcophages, expédiés assez loin.

La population de Serqueux est de quinze cents habitants adonnés en grande partie à la culture de la vigne.

Après Serqueux vient Arnoncourt situé au pied de la montagne d'Aigremont, à mi-chemin de Morimond, puis Fresnoy, dont le territoire est traversé par une voie romaine. A l'église existent deux tombes d'anciens seigneurs de la maison de Choiseul : Jehan et Anthoine, morts en 1560.

On peut dîner très passablement à Fresnoy, à la condition de prévenir l'aubergiste Chouffaut avant de se diriger sur Morimond, distant de deux kilomètres du village.

L'abbaye de Morimond est complètement détruite il ne subsiste que la porte d'entrée ; sur l'emplacement de l'église a été construite une brasserie.

Le monastère était bâti dans un vallon sauvage à proximité d'un étang qui occupe une superficie d'environ vingt hectares. La chaussée de cette belle pièce d'eau est remarquable. L'abbaye de Morimond, l'une des plus importantes de France, la quatrième fille de Citeaux, fut fondée en 1100 sur les terres d'Odalric d'Aigremont ; les seigneurs de Choiseul devinrent les bienfaiteurs de la communauté qui prit une telle extension qu'elle jouissait, au quatorzième siècle, des exorbitants privilèges que voici ; je cite Jolibois :

« Laissant de côté les droits simplement honorifiques, les religieux de Morimond avaient sous leur dépendance sept cents maisons, et cette surveillance n'était pas gratuite. Leur domaine foncier ou féodal s'étendait sur plus de cent villages de Champagne et de Lorraine ; ils avaient les droits seigneuriaux et la justice de six paroisses ; ils

étaient décimateurs de plus de quinze ; ils avaient
une splendide résidence aux Gouttes, tout près du
couvent ; et des hôtels dans douze villes ; quinze
fermes entourées de bonnes terres ou de prés ;
une prairie qui s'étendait de Meuse à Neufchâteau ;
d'innombrables troupeaux qu'ils pouvaient faire
paître dans tout le Bassigny ; douze étangs bien
empoissonnés ; le droit de pêche dans la Moselle
et la Meuse jusqu'à Metz et Verdun et dans la
Saône jusqu'à Gray ; plus de quatre mille cinq cents
arpents de bois ; des vignes produisant deux cents
muids de vin ; trois pressoirs banaux et le droit de
faire des paisseaux dans les forêts des seigneurs
voisins ; plus de vingt moulins et trois fours banaux ; une mine de fer et deux usines métallurgi-
ques ; une scierie ; beaucoup de rentes en argent et
en nature ; deux charges de sel à prendre à Salins,
et le privilège immense de passer avec leurs chevaux, voitures, bestiaux, etc., sans payer aucun
droit de péage.

..... Ces enfants de Cîteaux, dit l'abbé Dubois,
n'avaient cherché que le règne de Dieu et sa justice ; la terre et ses biens leur arrivèrent par sur-
croit. »

Plusieurs seigneurs de Choiseul voulurent reprendre aux abbés de Morimond quelques-unes

des dotations faites par leurs ancêtres, ils eurent
toujours lieu de s'en repentir. Foulques, l'un deux,
fut excommunié pour avoir contesté certains privilèges, et il dut non-seulement ratifier ce qui existait
avant lui, mais faire encore des dons nouveaux pour
rentrer en grâce. Gallas et les Suédois, pendant
les guerres de Lorraine, furent de moins facile
composition ; ils dévastèrent l'abbaye qui ne se re-
leva jamais complètement depuis.

Les dépouilles de Morimond ont enrichi une
quantité de villes et de villages ; il est fréquent aujourd'hui encore de trouver dans de pauvres maisons des objets d'art curieux qui n'ont pas d'autre
origine. La bibliothèque de l'abbaye a été réunie à
la bibliothèque publique de Chaumont, les archives
ont été transportées à la préfecture. L'orgue, les
stalles et les grilles de l'église ornent la cathédrale
de Langres.

Il existe plusieurs ouvrages sur Morimond, le
plus récent est de l'abbé Dubois, in-8°. Dijon, 1851.

Aigremont, 8 kilomètres.

La tradition attribue au fameux Maugis, fils de
Bovo d'Aigremont (voilà encore une étymologie

de Bourbonne pour les amateurs), contemporain de Charlemagne, la construction du château d'Aigremont, et place dans ce pays une partie des hauts faits des quatre fils Aymond, neveux de Maugis.

Les barons d'Aigremont étaient au moyen-âge de puissants seigneurs ; ils furent remplacés par les Choiseul en 1246, ceux-ci vendirent à leur tour en 1607 la seigneurie aux Luxembourg, dont héritèrent les Montmorency.

Les habitants d'Aigremont, de Larivière et d'Arnoncourt étaient serfs et mainmortables, leur condition était affreuse ; la liste de leurs redevances au seigneur est inépuisable.

Les Choiseul étaient constamment en guerre avec leurs voisins, aussi leur château fut-il plus d'une fois pris et brûlé. En dernier lieu, pendant la guerre de Lorraine, les Chaumontais et les Langrois assiégèrent Aigremont qui avait été vendu à l'ennemi par le marquis de Rosnay. Le 11 janvier 1651, le château fut pris ; les paysans des environs que les Lorrains avaient pillés maintes fois se chargèrent de le détruire. La besogne a été bien faite.

La situation d'Aigremont au-dessus de Larivière, 452 mètres d'altitude, est extrêmement pittoresque ; quant au château, il n'en reste que des vestiges, à l'exception de l'église qui est très-bien conservée et renferme quatre tombes des anciens seigneurs.

Coiffy, 7 kilomètres.

Coiffy est situé à 420 mètres d'altitude sur une montagne dominant la vallée d'Amance. La Ferté et Coiffy se disputent avec raison les deux plus beaux points de vue des environs de Bourbonne. Cependant, à la ferme de Montbéliard et à la plâtrerie de Chagnon, tout près de la ville, les amateurs pourront par un beau temps détailler parfaitement dans le lointain la longue crête des montagnes des Vosges; cette vue vaut presque les deux autres. ¡Quant aux personnes qui voudront jouir du plus étendu coup d'œil qui existe peut-être dans tout le département, elles feront bien de se transporter à Clefmont, à trente-deux kilomètres de Bourbonne. Du château de Clefmont on découvre un nombre infini de villages et toute la vallée de la Haute-Meuse, qui enfin jouit de son chemin de fer.

Les Romains avaient un important établissement à l'endroit où fut construit au XIIIᵉ siècle le vil-

lage de Coiffy-le-Haut; Coiffy-le-Bas existait déjà
à cette époque. Le castrum des Romains converti
en château féodal, appartint au xi° siècle à la famille de Choiseul, un peu plus tard au comte de
Champagne.

Placée sur les frontières de Lorraine et de Bourgogne, cette forteresse fut toujours occupée par
une garnison importante aux ordres du roi de
France, jusqu'en 1635, époque où elle fut démolie.

L'armée de Gallas et celle du duc de Weimar ont
laissé de sinistres souvenirs dans ce pays, qu'elles
saccagèrent plusieurs fois d'une horrible façon. Il
existe dans l'église une inscription commémorative
du massacre de 1638.

M. A. Bonvallet a publié en 1859, à Nevers, une
notice historique sur Coiffy-le-Haut, renouvelée
en 1879.

Châtillon, 11 kilomètres.

Le premier village que l'on rencontre dans la
jolie vallée d'Apance, est Villars, petite commune
dont l'église est classée parmi les monuments historiques. Ne pas manquer de visiter la crypte et le
tombeau de saint Marcellin.

19

Les reliques du patron de Villars ont la prétention de guérir la migraine; la manière dont elles
opèrent est curieuse.

Après avoir traversé le riche village de Fresnes
et visité l'église qui possède une bonne et ancienne
copie de la *Madeleine* du Guide on arrive vite au
but du voyage.

Situé au confluent de l'Apance et de la Saône,
Châtillon (castellum) a été au moyen âge un point
stratégique important, il reste encore des vestiges
du château. A plusieurs époques on a trouvé des
médailles et des tombeaux sur le territoire de cette
commune.

Les auberges du village sont approvisionnées
d'excellent poisson de la Saône, et surtout d'an-
guilles, avec lesquelles on confectionne des ma-
telotes renommées. Pendant que leur déjeuner se
préparera, je conseille aux excursionnistes de visiter la propriété de M. Dupont.

Les vrais amateurs d'antiquité ne s'arrêteront
pas à Châtillon, ils continueront leur voyage jusqu'à Jonvelle et Corre.

Jonvelle (*Jovis villa*) a été le chef-lieu d'une
baronnie célèbre, les ruines du château couvrent
la terre sur une grande étendue.

Corre est pittoresquement situé au confluent de

la Saône et du Coney. Dans les jardins de MM.
Barbey et de Landreville sont conservés précieusement des bas-reliefs et plusieurs statues de
l'époque gallo-romaine.

Pour plus amples renseignements sur Châtillon,
Jonvelle et Corre, je renvoie le lecteur à l'histoire
de Jonvelle, par les abbés Coudriet et Châtelet.
Besançon, 1864, un volume in-8°.

Chauvirey.

De la gare de Vitrey à Chauvirey, il y a une
heure de marche ; on trouve chez les aubergistes
de la gare, des voitures qui font pour 4 francs le
trajet, aller et retour.

Il 'existe à Chauvirey-le-Châtel, deux châteaux
presque contigus, qui ont abrité les plus grandes
familles de ce pays, alliées à la plus illustre no-
blesse de France. Le plus ancien, *Château Des-*
sous a été réparé et constitue aujourd'hui une
grande et belle maison, dont les propriétaires font
gracieusement les honneurs aux étrangers. Ne pas
manquer de visiter la salle d'armes et la chapelle
du style ogival du XIVᵉ siècle extrêmement pur.

L'autel du XIIIe siècle supporte un bas-relief qui
représente la légende de saint Hubert ; le cornet du
patron des chasseurs, richement émaillé, fut res-
titué à la chapelle en 1636, par les Annonciades de
Gray.

Le *Château Dessus,* bâti par Jean II de Chauvirey, en 1350, subit de nombreux sièges, sa façade
principale, un peu moins ruinée que le reste, indique assez quelle fut sa grande magnificence.

L'*église* possède un rétable Renaissance superbe,
mais ce qui est admirable c'est le saint Sébastien
placé à gauche de l'autel. Il n'existe rien d'aussi
beau dans tous les environs.

Je ne parle que pour mémoire des pierres tom-
bales, des inscriptions commémoratives qui se
trouvent à chaque pas dans les trois monuments,
que je viens d'indiquer, toutes à l'illustration des
seigneurs de Chauvirey (1157-1693), qui portaient :
« d'azur à la bande d'or accompagnée de sept bil-
lettes de même, quatre et trois. »

L'abbaye de Cherlieu, voisine de Chauvirey, peut
être visitée dans la même excursion ; malheureusement les ruines elles-mêmes ont disparu, il ne
reste plus que le souvenir de ce monastère célèbre.

Contrexéville, 34 kilomètres.

Quitter Bourbonne le matin, y rentrer le soir
après avoir visité Martigny, Contrexéville et Vittel,
constitue une rude journée. La chose se fait quelquefois, mais toujours péniblement ; on prend une
voiture qui vous conduit le matin à Lamarche, où
elle vous attend le soir. Le reste du trajet se fait
en chemin de fer. J'engage les personnes moins
pressées à effectuer ce voyage de la manière suivante : Partir de bon matin avec des provisions de
bouche, qui seront utilisées vers onze heures à
l'ombre du chêne des Partisans ; coucher à Contrexéville. Le lendemain, déjeuner à Vittel et rentrer le même jour à Bourbonne.

La petite ville de Lamarche est située à mi-chemin de Contrexéville, elle a donné le jour au ma-
réchal Victor, duc de Bellune.

Les bois de Martigny comme ceux de Parey-
Saint-Ouen, renferment une quantité de *tumuli* :
plusieurs ont été fouillés. M. de Saulcy entre autres amateurs, a fait de la sorte plusieurs découvertes importantes de bijoux anciens ; on cite

même parmi ses trouvailles des bracelets qui ont
eu l'honneur de parer d'augustes bras.

Le chêne des Partisans mesure treize mètres de
circonférence, trente-trois mètres de hauteur et
vingt-cinq d'envergure ; il a environ sept cents ans
d'existence. Il doit son nom aux rendez-vous que
s'y donnaient les partisans Lorrains à l'époque du
siège de la Mothe. Ce colosse végétal est l'objet
chaque année de fréquents pèlerinages dont les
traces jonchent la terre sous forme de tessons de
bouteilles.

Martigny, Vittel et surtout Contrexéville possèdent des sources d'eaux minérales justement répu-
tées ; mais les goutteux, graveleux et autres clients
de Contrexéville, quoiqu'appartenant à la classe
riche de la société, ne sont pas d'une nature fort
gaie, le séjour s'en ressent.

Il n'existe pas de spectacle plus mélancolique
que celui de la buvette et des buveurs à cinq heures du matin.

Vittel a été au commencement de ce siècle le
théâtre d'assassinats nombreux commis par des
marchands de bestiaux nommés Arnould ; cinq
membres de cette aimable famille furent exécutés
à Epinal en 1805.

Je pourrais ajouter à ces buts d'excursion plusieurs lieux remarquables par les souvenirs qu'ils rappellent, entre autres Vaux-la-Douce, village délicieusement situé dans une gorge profonde : au xviiᵉ siècle florissait sur son territoire une abbaye importante. Au nord, sur la route de Neufchâteau, à trente kilomètres environ, les ruines de la Mothe, ville détruite en 1645, et au siège de laquelle Turenne fit ses premières armes. Plus loin encore, Soulosse et Grand, stations romaines de premier ordre, bien déchues aujourd'hui de leur ancienne splendeur.

A l'est, pourquoi ne le dirais-je pas, puisque Bâle est à moins de cinq heures de Bourbonne, la Suisse, ses montagnes et ses lacs. Entre deux saisons, rien de plus recommandable qu'un voyage de cette nature.

RENSEIGNEMENTS. — CHEMIN DE FER

PARIS, CHAUMONT, VESOUL, VITREY A BOURBONNE-LES-BAINS

STATIONS.		1re cl.	1.2.3.	1.2.3.	1.2.3.	1.2.3.	1.2.c.
		soir	soir	nuit	mat.	mat.	mat.
PARIS	dép.	8 50	9 40	m. 35	8 35	7 05	11 10
		mat.	mat.	mat.	soir	soir	soir
CHAUMONT (B.)....	dép.	2 20	4 05	8 56	2 09	4 09	4 14
	mat.				1.2.c.		
VESOUL (B.)..	dép.	4 05	» »	4 30	8 46	1 5s.	3 47
	1.2.3.	1.2.3.			1.2.3.		1.2.3
	mat.	mat.	mat.	mat.	mat.	soir	soir	mat.
VITREY.......	dép.	5 20	3 55	6 45	11 35	3 45	6 30	10 05
VOISEY	dép.	5 38	4 13	7 06	11 56	4 04	6 51	10 20
BOURBONNE-L.-B..		5 55	4 30	7 23	m. 13	4 21	7 08	10 34
		mat.	mat.	mat.	jour	soir	soir	mat.

BOURBONNE-LES-BAINS, VITREY, VESOUL, CHAUMONT A PARIS

STATIONS.		1.2.3.	1.2.3.	1.2.3.	1.2.c.	1.2.3.	1.2.3.	1.2.3.
		mat.	mat.	mat.	mat.	soir	soir	soir
BOURBONNE-L.-B..		6 01	4 37	9 09	10 48	1 17	4 28	9 04
VOISEY.......	dép.	6 16	4 52	9 29	11 03	1 37	4 43	9 24
VITREY.......	arr.	6 30	5 06	9 45	11 47	1 53	4 57	9 40
			mat.			1.2.c.		
VESOUL (B.)..	arr.	7 53	7 53	m. 18	»	4 40	7 41	m. 25
			1.2.3.		1.2.c.			
			mat.		soir	1.2.c.		1re cl.
CHAUMONT (B.)....	arr.	7 39	11 50	1 05	3 45	7 22	11 35
						1.2.3.		
PARIS	arr.	4 05	8 33	6 10	9 25	3 25	4 55
		soir	soir	soir	soir	mat.	mat.

PRIX DES PLACES DE OU POUR PARIS

STATIONS.	1re cl.	2e cl.	3e cl.	DIST.
	fr. c.	fr. c.	fr. c.	kil.
CHAUMONT..................	32 25	24 20	17 75	262
VESOUL.....................	46 90	35 20	27 75	381
VITREY.....................	41 40	31 »	22 75	336
VOISEY.....................	42 50	31 98	23 35	345
BOURBONNE-LES-BAINS...	43 60	32 70	23 95	354

Le train rapide *dit des Eaux*, partant de Paris à 11 heures 40 du matin, arrivant à Bourbonne à 7 heures 8 du soir ; partant de Bourbonne à 10 heures 48 du matin, arrivant à Paris à 6 heures 10 du soir, transporte les voyageurs sans transbordement à Vitrey ; les voitures sont dételées ou réattelées à Vitrey et continuent leur route sur Bourbonne ou Paris. Ce service fait la correspondance également de Contrexéville, Plombières, Luxeuil, etc.

CASINO DE BOURBONNE-LES-BAINS.

Fermier : M. Raymond Escande.
Directeur : M. Henri Fabrègues.

Casino ouvert tous les jours du 15 mai au 30 septembre.

Concerts.

Grand orchestre jouant trois fois par jour au kiosque du parc :

1er Concert : midi à 1 heure.
2e   —   4 h. 1/2 à 5 h. 1/2.
3e   —   7 h. 1/2 à 8 h. 1/2.

Théâtre, Bals et Concerts.

Troupe artistique et lyrique jouant trois fois par

semaine dans les Salons du Casino, les dimanche, mardi et jeudi.

Concert vocal et instrumental, aux Salons du Casino, les lundi et vendredi.

Bal dans les salons, avec grand orchestre, les mercredi et samedi.

Illuminations, feux d'artifice, fêtes.

Chaque mois, pendant la saison, grande fête avec feux d'artifices et illuminations dans le parc du Casino.

Salons de lecture, cercle, salle de billard, wisht, baccarat, petits chevaux.

Abonnements civils au Casino.

Pour un mois :

1 personne		30	fr.
2 —	de la même famille.	55	»
3 —	—	75	»
4 —	—	95	»
5 —	—	115	»
6 —	—	135	»

Abonnements militaires :

Jusqu'au grade de capitaine pour les militaires hospitalisés : 15 fr. par mois.

Les militaires non hospitalisés paient les prix de l'abonnement civil.

L'abonnement au Casino donne droit aux représentations théâtrales, bals, cercles, salons de lecture, salon de jeux, chaises du parc.

Tarif des chaises du parc.

Personnes non abonnées : 0 fr. 10 par séance.
Abonnés de Bourbonne : 4 fr. par mois.
Abonnés étrangers à la ville : 5 fr. par mois.

POSTES ET TÉLÉGRAPHES.

Le Bureau, place de l'Hôtel-de-Ville est ouvert de 7 heures du matin à 9 heures du soir.

Deux courriers de Paris ; distribués à 6 heures du matin et à 5 heures du soir.

Départ des dépêches : 1 heure du soir, 4 heures 1/2 et 8 heures 1/2.

MÉDECINS.

MM. Balley.
Bougard.
Bouvier.
Causard.
Mercier.
Prudon.

PHARMACIENS.

MM. Habert.
    Lafontaine.
    Burquard.

LOUEURS DE VOITURES ET CHEVAUX.

MM. Picard.
    Sylvestre.
    Bailly.
    Collin Lassalle.

PETITES VOITURES.

Un service parfaitement organisé conduit les baigneurs qui le désirent de leur appartement à la
baignoire, dans de petites voitures très-conforta-
bles, avec les soins intelligents des hommes qui
les dirigent. Il existe aussi des voitures à ânes et
des petits chevaux de selle pour les enfants.

TARIF.

1ʳᵉ zône. — Course simple.. ...	30 c.
— Aller et retour......	50 —
2ᵉ zône. — Course simple......	50 —
— Aller et retour......	70 —

3ᵉ zône. — Course simple...... 60 c.

—   Aller et retour...... 90 —

Promenades. — 1 heure....... 1 50 —

—   1 heure 1/2... 2 » —

—   2 heures...... 2 50 —

LIBRAIRES ET CABINETS DE LECTURE.

MM. Dufey.

Humbert, imprimeur.

Drouot, imprimeur.

JOURNAUX.

Le *Journal de Bourbonne*, paraissant le mercredi et le samedi, donne la liste des baigneurs.

La *Gazette de Bourbonne*, paraissant le mercredi.

La *Saison Thermale*, quotidienne.

PHOTOGRAPHES.

MM. Laurent.

Maugras.

Les enfants trouveront à Bourbonne d'excellents professeurs capables de les diriger dans leurs études quand celles-ci ne pourront être interrompues.

Les écoles municipales qui font l'admiration des

étrangers pour leur installation et leur bonne tenue
ne reçoivent que des externes, cependant les reli-
gieuses de Saint-Charles acceptent des pension-
naires qui profitent, si les parents le demandent, des
leçons de. musique, dessin, etc., données par des
maitres expérimentés.

HÔTELS.

Grand hôtel des Thermes, tenu par Mme veuve
Braconnier.

Grand hôtel des Bains, tenu par Larcordaire-
Logerot.

Grand hôtel Berthe Gaillard, tenu par Mme Berthe
Gaillard.

Hôtel du Commerce, tenu par Hérard.

Hôtel de l'Est, tenu par Barbier Clerc.

Hôtel de France, tenu par Jouvernaux.

Hôtel de l'Europe, près de la gare, tenu par
Auguste.

Hôtel de la Place, tenu par Mme veuve Foursin.

MAISONS MEUBLÉES AVEC TABLE D'HÔTE.

Maison Jeannel-Moisson.
—   Aubert.
—   Chapelle.

Maison Jouvernaux.
— Dacier.
— Hausser.
— Girardin.
— Richet.
— Labarre.
— Carpentier., etc.

MAISONS MEUBLÉES SANS TABLE D'HÔTE.

Maison Lefort.
— Ebrard.
— Navarin.
— Préchey.
— Férat.
— Bougard.
— Demangeon.
— Gaumet.
— Maillard.
— Finot.
— Duport.
— Labois.
— Martin-Arthaud.
— Hoffmayer.
— Paulin.
— Légaré.

Maison Moulin.
— Thibaut.
— Cousin.
— Morlet.
— Dufey.
— Guérin.
— Lempereur, etc.

La plupart de ces maisons fournissent les instruments nécessaires de table, cuisine, etc.; quand on le désire.

Les étrangers qui viennent pour la première fois à Bourbonne sont surpris du bon marché des hôtels et des maisons meublées; cela tient à ce fait que la ville de Bourbonne est relativement grande, comparée aux stations thermales ordinaires et que les logements y sont plus nombreux qu'ailleurs. De là une concurrence dont les effets s'expliquent tout seuls.

TABLE DES MATIÈRES

PREMIÈRE PARTIE

BOURBONNE

QUATRIÈME PARTIE

CURE COMPLÉMENTAIRE A BOURBONNE

CINQUIÈME PARTIE

FIN DE LA TABLE.

CHAUMONT — TYPOGRAPHIE CAVANIOL.

Chaumont. — Typographie Cavaniol.

www.ingramcontent.com/pod-product-compliance
Lightning Source LLC
Chambersburg PA
CBHW071437050526
44396CB00005BB/802